AGATHA CHRISTIE

A CASA TORTA

Tradução
Carmen Ballot

Rio de Janeiro, 2025

Título original: CROOKED HOUSE
© 1949 by Agatha Christie Limited.

Direitos de edição da obra em língua portuguesa no Brasil adquiridos pela Casa dos Livros Editora LTDA. Todos os direitos reservados. Nenhuma parte desta obra pode ser apropriada e estocada em sistema de banco de dados ou processo similar, em qualquer forma ou meio, seja eletrônico, de fotocópia, gravação etc., sem a permissão do detentor do copirraite.

Diretora editorial: Raquel Cozer
Gerente editorial: Alice Mello
Editor: Ulisses Teixeira
Produção editorial: Isis Batista Pinto
Revisão: Aldo Menezes, Guilherme Bernardo Vieira
Diagramação: Aldo Menezes
Projeto gráfico de capa: Maquinaria Studio

Rua da Quitanda, 86, sala 601A – Centro – 20091-005
Rio de Janeiro – RJ – Brasil
Tel.: (21) 3175-1030

CIP-Brasil. Catalogação-na-fonte
Sindicato Nacional dos Editores de Livros, RJ

C479c   Christie, Agatha, 1890-1976

A casa torta / Agatha Christie ; tradução Carmen Ballot.
– 1. ed. – Rio de Janeiro : HarperCollins, 2017.

Tradução de: Crooked house
ISBN 9788595080034

1. Ficção policial inglesa. I. Ballot, Carmen. II. Título.

16-36972   CDD 823
                                                                   CDU 821.111-3

Printed in China

Personagens

Charles Hayward
Seu amor por Sophia levou-o a tentar desvendar o mistério que pairava sobre a Casa Torta.

Sophia Leonides
Neta do velho Aristide — apesar do medo era uma moça decidida.

Sir Arthur Hayward
Pai de Charles, comissário-assistente da Scotland Yard. Ele acha que a melhor maneira de conseguir informações é ficar à escuta...

Inspetor-chefe Taverner
O braço direito de Sir Arthur. Acredita que remexer o assunto é sempre útil.

Edith de Haviland
Não havia dúvidas de que ela odiava o velho Aristide, seu cunhado, mas talvez ela também o amasse...

Philip Leonides
Pai de Sophia, frio como aço por fora, mas, por dentro, cheio de paixões que bem podiam ser homicidas.

MAGDA LEONIDES
Mãe de Sophia, uma atriz que sabia representar os mais variados papéis.

ROGER LEONIDES
O filho mais velho de Aristide, um homem de temperamento violento.

CLEMENCY LEONIDES
A esposa de Roger, uma cientista. Era impossível saber onde a levaria o amor pelo marido.

BRENDA LEONIDES
A jovem segunda esposa de Aristide. Talvez ela quisesse ser viúva...

LAURENCE BROWN
Ele achava Brenda extremamente gentil... Talvez ele também quisesse que ela fosse viúva.

EUSTACE LEONIDES
Irmão de Sophia, um rapaz que tinha um caráter tão distorcido quanto a Casa Torta.

JOSEPHINE LEONIDES
Irmã de Sophia, a mais nova do clã dos Leonides — e uma detetive em potencial.

Capítulo 1

Conheci Sophia Leonides no Egito, lá pelo fim da Segunda Guerra Mundial. Ela ocupava um cargo de muita responsabilidade num dos departamentos do Ministério do Exterior ali sediados. Eu a vi pela primeira vez em missão oficial e reparei logo na eficiência que a elevara à posição que ocupava, apesar de sua juventude (ela estava, naquela época, com apenas 22 anos).

Além de ser uma mulher muito bonita, tinha um espírito muito vivo e um senso de humor perfeito que achei encantadores. Tornamo-nos amigos. Eu gostava de conversar com ela, e nos divertíamos muito quando saíamos juntos para jantar e dançar.

Disso tudo eu sabia — mas somente ao ser transferido para o Oriente, no final da guerra na Europa, foi que me ocorreu outra coisa: que eu amava Sophia e queria casar-me com ela.

Jantávamos no Shepheard's quando fiz essa descoberta. Não foi bem uma surpresa; foi, sim, o reconhecimento de um fato com que já me familiarizara. Olhei-a com novos olhos — mas percebi que já sabia disso havia muito tempo. Gostei do que vi. Os cabelos escuros anelados que brotavam orgulhosamente do alto da testa, os olhos azuis muito vivos, o queixinho quadrado e agressivo, o nariz reto. Gostei do traje cinza-claro feito sob medida e da blusa branca, pregueada. Ela parecia inglesa da cabeça aos pés, e isso me atraiu ainda mais, depois de três anos longe da terra natal. "Ninguém poderia ser mais britânico do que Sophia", pensei. Ao mesmo tempo em que observava isso, indaguei comigo mesmo se, de fato, ela era, ou melhor, poderia ser tão inglesa quanto aparentava. As coisas reais teriam acaso a mesma perfeição de um desempenho nos palcos?

Fiquei pensando nisso enquanto conversávamos, debatendo ideias, nossas preferências e desagrados, o futuro, os amigos próximos e os conhecidos. Sophia jamais mencionara seu lar ou sua família. Sabia tudo a meu respeito (era, como eu já disse, uma boa ouvinte), mas sobre ela eu nada sabia. Acreditava que ela tivesse uma família de classe, mas até então eu jamais percebera a omissão.

Sophia perguntou em que eu estava pensando:

— Em você — respondi com franqueza.

— Eu percebo — disse ela. E deu-me a impressão de haver percebido mesmo.

— Talvez não voltemos a nos ver por uns dois anos — falei. — Não sei quando voltarei à Inglaterra, mas, assim que voltar, a primeira coisa que farei será telefonar-lhe, vê-la e pedi-la em casamento.

Ela aceitou isso sem sequer piscar os olhos. Sentada ao meu lado, continuou fumando, sem me olhar.

Por um ou dois minutos temi que não me houvesse compreendido.

— Ouça — falei —, só há uma coisa que eu estou determinado a fazer: é não pedir a você que se case comigo agora. Seria um gesto precipitado. Primeiro, porque você poderia recusar, e eu, me sentindo infeliz, provavelmente seria vítima de alguma mulher horrorosa só para curar a minha vaidade ferida. E se você não disser não, que poderíamos fazer? Casar e nos separarmos logo depois? Noivar e, longe um do outro, esperar anos a fio? Não desejaria amarrá-la a um compromisso desses. Você talvez encontrasse outro e se sentisse obrigada a ser "fiel". Estamos envolvidos numa atmosfera febril, do tipo "resolva logo hoje porque amanhã pode ser tarde demais". Casamentos e amores surgem e se desfazem à nossa volta. Preferiria sentir que você há de voltar para casa, livre e independente, e que, adaptada ao novo mundo do pós-guerra, decidiria então o que fazer de sua vida. O que existe entre nós, Sophia, tem de ser permanente. Assim é que eu encaro o casamento.

— E eu também — disse Sophia.

— Por outro lado — continuei —, acho-me no direito de comunicar a você como eu... bem... quais são os meus sentimentos.

— Mas sem uma declaração romântica? — murmurou Sophia.

— Querida... não está entendendo? Esforcei-me para não dizer que a amo...

Ela me interrompeu.

— Entendo sim, Charles. E eu gosto da sua maneira engraçada de fazer as coisas. Você pode procurar-me quando voltar... se ainda quiser me ver.

Foi a minha vez de interromper:

— Quanto a isso não há dúvida!

— Existe sempre uma dúvida acerca de tudo neste mundo, Charles. Pode sempre surgir um fator imprevisível que transtorne nossos planos. A propósito, você não sabe muita coisa a meu respeito, não é?

— Nem mesmo sei onde você vive na Inglaterra.

— Vivo em Swinly Dean.

Concordei balançando a cabeça ao ouvir o nome do bem conhecido subúrbio de Londres, que se orgulha dos três excelentes campos de golfe para os financistas da cidade.

Sophia acrescentou suavemente, em voz divertida:

— Numa casinha torta...

Devo ter demonstrado alguma surpresa, pois ela riu e explicou-se com a citação:

— *"E viveram todos juntos numa casinha torta."* Somos nós. Não que a casa seja pequena, mas é definitivamente torta... o telhado descendo para os oitões, e as vigas visíveis entre os tijolos.

— Você faz parte de uma família grande? Tem irmãos e irmãs?

— Um irmão, uma irmã, mãe, pai, um tio, uma tia por casamento, um avô, uma tia-avó e uma madrasta-avó!

— Deus do céu! — exclamei um tanto surpreso.

Ela riu.

— Claro que normalmente não vivemos todos juntos. A guerra e os bombardeios em massa nos reuniram... mas não sei bem... — ela franziu a testa, pensativa — talvez espiritualmente a família sempre tenha morado junta... sob a vigilância e a proteção de meu avô. É uma personalidade, esse meu avô. Tem mais de oitenta anos, cerca de um metro e meio, mas todo o mundo parece apagar-se a seu lado.

— Ele parece interessante — eu disse.

— E é mesmo. É um grego de Esmirna. Aristide Leonides.

E ela acrescentou com um piscar de olhos:

— Extremamente rico.

— Alguém ainda conseguirá ser rico, depois que esta guerra acabar?

— Meu avô, sim — disse Sophia com segurança. — Essas táticas do gênero "vamos explorar os ricaços" não têm efeito algum sobre ele. Acaba explorando os exploradores.

E acrescentou:

— Eu me pergunto se você gostará dele.

— Você gosta? — eu perguntei.

— Mais do que qualquer outra pessoa no mundo — disse Sophia.

Capítulo 2

Isso se passou uns dois anos antes de eu retornar à Inglaterra. Não foram anos fáceis. Escrevi a Sophia e tive notícias dela com muita frequência. Suas cartas, tal como as minhas, não eram cartas de amor. Eram cartas escritas por amigos íntimos, expunham ideias e pensamentos e traziam comentários sobre o curso diário da vida. Entretanto, eu sabia que, no que me tocava — e acreditava também que em relação a Sophia —, nosso sentimento mútuo crescia e se estreitava.

Voltei à Inglaterra num suave dia cinzento de setembro. As folhas das árvores estavam douradas à luz do crepúsculo. O vento soprava em remoinhos divertidos. Ao descer no aeroporto, enviei um telegrama para Sophia.

Acabo de chegar. Espero-a para jantar no Mario's às nove. Charles.

Umas duas horas depois, eu estava sentado lendo o *Times*. E, percorrendo a coluna de nascimentos, casamentos e óbitos, deparei com o sobrenome Leonides:

A 19 de setembro, em Três Oitões, Swinly Dean, Aristide Leonides, idolatrado esposo de Brenda Leonides, aos 87 anos. Profundos pêsames.

Havia outro anúncio imediatamente depois:

Leonides. De repente, em sua residência Três Oitões, Swinly Dean, Aristide Leonides. Seus filhos e netos estão profundamente consternados. Flores para a igreja de St. Eldred, Swinly Dean.

Achei os dois anúncios curiosos. Tudo indicava que o trabalho relapso do jornal resultara numa redundância. Mas minha principal preocupação era Sophia. Apressei-me em enviar-lhe um segundo telegrama:

Acabo ver notícias morte seu avô. Lamento muito. Informe quando poderei vê-la. Charles.

Um telegrama de Sophia chegou às seis em ponto à casa de meu pai. Dizia:

Estarei Mario's às nove. Sophia.

O pensamento de reencontrar Sophia deixou-me nervoso e eufórico. Nos ponteiros do relógio, o tempo passava com uma lentidão de enlouquecer. Cheguei ao Mario's vinte minutos adiantado. Sophia só chegou cinco minutos depois do combinado.

É sempre um choque encontrar de novo uma pessoa a quem não se vê há muito tempo, mas que permaneceu viva em nossa lembrança durante esse período. Quando finalmente Sophia apareceu na porta giratória, nosso encontro parecia completamente irreal. Ela estava vestida de preto, o que, de uma maneira curiosa, me surpreendeu: grande número de mulheres estava também de preto, mas eu pusera na cabeça que o preto era definitivamente um sinal de luto — e surpreendeu-me que Sophia fosse o tipo de pessoa que usasse luto, mesmo por um parente próximo.

Bebemos uns coquetéis e fomos, em seguida, para uma mesa. Falávamos depressa e febrilmente — pedindo notícias dos velhos amigos dos dias no Cairo. Era uma conversa artificial, mas nos fazia vencer esse primeiro embaraço. Expressei meu pesar pela morte de seu avô, e Sophia disse baixinho que a morte fora "muito súbita". Depois retornamos às reminiscências. Comecei a sentir, inquieto, que algo não se ajustava bem — algo, quero dizer, além do primeiro embaraço natural do reencontro. Havia alguma coisa errada, definitivamente errada, com a própria Sophia. Iria ela dizer-me, por acaso, que encontrara outro homem de quem gostara mais? Que o seu sentimento por mim fora "um erro"?

Não sei por que, mas não acreditei nessa possibilidade, embora eu ainda não soubesse o que havia. Continuamos com a nossa conversa artificial.

Então, de repente, enquanto o garçom punha o café na mesa e se retirava com uma reverência, tudo começou a entrar em foco. Ali estávamos Sophia e eu, sentados juntos, como acontecera tantas vezes, diante de uma mesinha num restaurante qualquer. Os anos de nossa separação não haviam transcorrido jamais.

— Sophia — eu disse.

E imediatamente ela respondeu:

— Charles.

Soltei um profundo suspiro de alívio.

— Graças a Deus superamos isso — falei. — O que houve conosco?

— Provavelmente culpa minha. Fui uma tola.

— Mas agora está tudo bem?

— Sim, está tudo bem agora.

Sorrimos um para o outro.

— Querida! — disse, acrescentando: — Quando você se casará comigo?

O sorriso dela se esvaneceu. Aquilo, fosse o que fosse, voltara.

— Não sei — disse. — Não estou certa, Charles, de que eu possa casar-me com você.

— Mas, Sophia! Por que não? Você acha que não me conhece direito? Precisa de tempo para se habituar outra vez à minha presença? Ou existe algo mais? Não... — suspendi a frase. — Sou um tolo. Não é nenhuma dessas coisas.

— Não, não é — sacudiu a cabeça. Aguardei. Ela disse em voz baixa: — É a morte de meu avô.

— A morte de seu avô? Mas por quê? Meu Deus, que diferença isso pode fazer? Você não quer dizer... certamente não imagina... que haja uma questão de dinheiro? Ele não lhe deixou nada? Olhe aqui, querida...

— Não é dinheiro — mostrou um sorriso fugaz. — Creio que você me aceitaria "com a roupa do corpo", como diz o velho ditado. E meu avô nunca perdeu dinheiro na vida.

— Então de que se trata?

— É a morte em si mesma... sabe, Charles? Creio que ele não tenha apenas... morrido. Creio que talvez tenha sido assassinado...

Olhei-a fixamente.

— Mas... que ideia mais estranha! O que a levou a pensar assim?

— Isso não havia passado pela minha cabeça. Para começar, o médico estava muito estranho. Não quis assinar a certidão de óbito. Vão fazer uma autópsia. Ficou claro que suspeitam de algo.

Não argumentei com Sophia. Ela tinha boa organização mental, e podia-se confiar em quaisquer conclusões a que houvesse chegado.

Em vez de contradizê-la, apressei-me a dizer:

— As suspeitas podem ser injustificadas. Mas, pondo isso de lado, supondo que sejam válidas, como afetaria a nós dois?

— Pode afetar sob certas circunstâncias. Você está no serviço diplomático. Eles são muito rigorosos a respeito das esposas. Não... por favor, não vá dizer as coisas que está prestes a dizer. Seu impulso é dizê-las, e eu acredito mesmo na sua sinceridade. Teoricamente, concordo com elas. Mas sou um bocado orgulhosa... sabe? Muito orgulhosa. Quero que o nosso casamento seja uma boa coisa para os dois... que não seja o resultado de um sacrifício de amor! E, como eu falei, talvez não haja motivos para preocupações...

— Quer dizer que o médico... talvez tenha cometido um engano?

— Mesmo que não tenha se equivocado, pouco importa... desde que tenha sido a pessoa certa que tenha matado meu avô.

— Que pretende dizer, Sophia?

— Sei que isto é rude, mas, acima de tudo, devemos ser francos.

Ela antecipou-se às minhas palavras.

— Não, Charles, não direi mais nada. Provavelmente já falei demais. Mas eu estava determinada a vir encontrar-me com você esta noite... a vê-lo pessoalmente e fazê-lo compreender. Não podemos combinar coisa alguma até que esse assunto se esclareça.

— Pelo menos diga-me do que se trata.

Ela abanou a cabeça.

— Não quero.

— Mas Sophia...

— Não, Charles. Não quero que você nos veja segundo o meu ângulo. Quero que nos conheça imparcialmente, de um ponto de vista externo.

— E como poderei fazer tal coisa?

Ela olhou-me, um brilho estranho nos claros olhos azuis.

— Você o conseguirá por intermédio de seu pai.

Contara a Sophia, no Cairo, que meu pai era comissário-assistente da Scotland Yard. Ainda desempenhava o cargo. Ao ouvir isto, senti um arrepio.

— É tão grave assim?

— Eu acho. Está vendo aquele homem sentado à mesa, sozinho, perto da porta... aquele tipo simpático e pacato de ex-soldado?

— Sim.

— Ele estava na plataforma de Swinly Dean na tarde de hoje, quando entrei no trem.

— Quer dizer que ele a seguiu até aqui?

— Sim. Acho que estamos todos... como é que se diz mesmo?... sob suspeita. Insinuaram que seria melhor não sairmos de casa. Mas eu estava decidida a ver você — o queixinho quadrado de Sophia avançou, combativo. — Saí pela janela do banheiro e escorreguei pelo cano de água.

— Querida!

— Mas a polícia é muito eficiente. E, naturalmente, havia o telegrama que eu enviei a você. Bem... não importa... estamos aqui juntos... Mas, daqui por diante, temos de agir separados.

Fez uma pausa e, em seguida, acrescentou:

— Infelizmente... não há dúvida... acerca do amor que sentimos um pelo outro.

— Dúvida alguma — disse eu —, e não diga "infelizmente". Você e eu sobrevivemos a uma guerra mundial, escapamos muitas vezes da morte iminente... e não vejo por que a morte repentina de um ancião... que idade ele tinha, a propósito?

— Oitenta e sete.

— Claro. Saiu no *Times*. Se quer saber a minha opinião, ele morreu apenas de velhice, e qualquer clínico geral que se preze aceitaria o fato.

— Se você conhecesse meu avô — disse Sophia —, ficaria surpreso caso ele morresse de alguma coisa!

Capítulo 3

Eu sempre demonstrara certo interesse pelas atividades policiais de meu pai, mas não estava preparado para a possibilidade de um interesse direto e pessoal nelas.

Ainda não vira meu velho. Não estava em casa quando cheguei e, depois de um banho, de fazer a barba e trocar de roupa, eu saíra para me encontrar com Sophia. Quando voltei, Glover me disse que ele estava em seu gabinete.

Estava sentado à escrivaninha, a testa franzida sobre um monte de papéis. Pôs-se imediatamente de pé quando entrei.

— Charles! Sim, senhor! Sim, senhor! Faz tanto tempo!

Nosso encontro, após cinco anos de guerra, teria desapontado a um francês. Mas, na verdade, toda a emoção do reencontro fora acentuada. Meu velho e eu nos queríamos bem e nos compreendíamos perfeitamente.

— Tenho uísque — disse ele. — Peça quando quiser. Desculpe-me por estar ausente quando você chegou aqui. Estou cheio de trabalho. O diabo de um caso que mal começou ainda.

Recostei-me na cadeira e acendi um cigarro.

— Aristide Leonides? — perguntei.

As sobrancelhas dele baixaram sobre os olhos. Atirou-me um olhar rápido, avaliador. Sua voz era polida e dura como o aço.

— O que o faz pensar assim, Charles?

— Estou certo, então?

— Como veio a saber?

— Informações recebidas.

Meu velho esperou.

— Minhas informações — eu disse — vieram da própria casa.

— Vamos, Charles, desembuche.

— Você pode não gostar. Conheci Sophia Leonides no Cairo. Apaixonei-me por ela. Vou casar-me com ela. Encontrei-a esta noite, e jantamos juntos.

— Jantou com ela? Em Londres? Eu só queria saber como conseguiu. A família teve ordens... polidamente, é claro, de não sair.

— Isso mesmo. Ela escorregou pelo cano da janela do banheiro.

Os lábios do meu velho contraíram-se por um instante num sorriso.

— Ela parece ser uma jovem de certos recursos.

— Mas a sua força policial é bem eficiente — eu disse. — Um tipo simpático, com ar de recruta, seguiu-a ao Mario's. Devo constar dos relatórios que você recebeu. Um metro e setenta e oito, cabelos castanhos, olhos castanhos, terno azul-escuro de listrinhas etc...

Meu velho olhou-me com dureza.

— Isto é... sério?

— Sim. É sério, papai.

Houve um momento de silêncio.

— Você se importa? — perguntei.

— Não me teria importado... uma semana atrás. A família é bem estabelecida... a moça terá dinheiro... e eu conheço você. Sei que não perde a cabeça facilmente. De qualquer modo...

— Sim, papai?

— Pode dar tudo certo, se...

— Se o quê?

— Se a pessoa certa o tiver matado.

Era a segunda vez naquela noite que eu ouvia aquela frase. Comecei a me interessar.

— Mas quem é a pessoa certa?

Ele me dirigiu um olhar penetrante.
— O que você sabe do caso?
— Nada.
— Nada? — pareceu surpreso. — A moça não contou?
— Não. Ela disse que era melhor eu ver tudo... de um ponto de vista próprio.
— Eu gostaria de saber a razão disso.
— Não é óbvio?
— Não, Charles. Não creio que seja.

Andou pela sala, a testa franzida. Acendera um charuto, e o charuto se apagara. Isso mostrava como ele estava inquieto.
— O que sabe você da família? — perguntou de supetão.
— Bulhufas! Sei que havia o velho e uma porção de filhos e netos e cunhados. As ramificações não ficaram claras na minha cabeça. — Fiz uma pausa e depois disse: — Seria melhor você me dar um panorama, papai.
— Sim — disse e sentou-se. — Muito bem, então... começarei do princípio... com Aristide Leonides. Ele chegou à Inglaterra aos 24 anos.
— Um grego de Esmirna.
— Também sabia disso?
— Sim, mas é tudo o que sei.

A porta abriu-se, e Glover entrou para dizer que o inspetor-chefe Taverner estava ali.
— Ele está encarregado do caso — disse meu pai. — Convém mandá-lo entrar. Andou investigando a família. Sabe mais a respeito do que eu.

Perguntei se a polícia local convocara a Scotland Yard.
— A jurisdição é nossa. Swinly Dean está na Grande Londres.

Fiz um aceno quando o inspetor-chefe Taverner entrou na sala. Conhecia Taverner de muitos anos atrás. Ele me cumprimentou com cordialidade e congratulou-me pela minha volta.
— Estou pondo Charles a par da situação — disse meu velho. — Corrija-me se eu errar, Taverner. Leonides chegou a Londres em 1884. Instalou um pequeno restaurante no Soho.

Deu certo. Ele partiu para outro. Pouco depois, já possuía sete ou oito. Todos rendiam dinheiro imediatamente.

— Jamais cometeu um erro em tudo quanto se aventurou — disse o inspetor Taverner.

— Tinha um instinto natural — disse meu pai. — Por fim, estava por trás de quase todos os famosos restaurantes de Londres. Entrou então no negócio de fornecimento para clubes e hotéis, em grande escala.

— Também estava por trás de muitos outros negócios — disse Taverner. — Comércio de roupas usadas, lojas de joias baratas, um monte de coisas. Naturalmente — acrescentou, pensativo —, ele sempre foi um espertalhão.

— Quer dizer que era desonesto? — perguntei.

Taverner sacudiu negativamente a cabeça.

— Não, não chego a tanto. Esperto, sim... mas não trapaceiro. Nunca fez nada fora da lei. Mas era o tipo de sujeito que pensava em todas as formas de tangenciar a lei. Embolsou uma fortuna dessa maneira na última guerra, embora fosse um velho. Nada do que fez era ilegal, mas, sempre que se envolvia numa coisa, precisava-se regularizar uma lei a respeito, se entende o que quero dizer. E, quando a lei chegava, ele já havia passado a outra atividade.

— Não parece um caráter dos mais atraentes — comentei.

— É engraçado, mas ele era simpático. Tinha personalidade. Sentia-se a personalidade do homem. Afora isso, nada mais possuía digno de nota. Um gnomo... um sujeitinho horroroso, mas com certo magnetismo. As mulheres sempre se apaixonavam por ele.

— Fez um casamento surpreendente — disse meu pai. — Desposou a filha de um nobre campesino, um mestre de caça à raposa.

Ergui as sobrancelhas.

— Por dinheiro?

Meu velho abanou a cabeça.

— Não, foi um caso de amor. Ela o conheceu durante as compras para o banquete do casamento de uma amiga e se apaixonou. Seus pais foram contra, mas ela estava determinada a ficar com ele. Já disse, o homem tinha mesmo charme... algo exótico e dinâmico que a atraiu. E ela andava entediada com os cavalheiros de sua própria classe.

— E o casamento foi feliz?

— Muito feliz, por estranho que pareça. Naturalmente seus respectivos amigos não se misturaram (naquela época, o dinheiro não sobrepujava ainda as distinções de classes), mas isso não impediu de serem felizes nem pareceu aborrecê-los. Viviam sem amigos. Ele construiu uma casa suntuosa em Swinly Dean, moraram ali e tiveram oito filhos.

— Na verdade, uma autêntica crônica familiar.

— O velho Leonides foi muito esperto ao escolher Swinly Dean. O lugar mal começava a entrar na moda. O segundo e o terceiro campos de golfe ainda não tinham sido construídos. Havia por lá uma mistura de velhos habitantes tradicionais, apaixonados pelos seus jardins, de que muito se orgulhavam, e que simpatizaram com a sra. Leonides, e os ricaços da cidade que desejavam entrar em contato com Leonides; assim, o casal pôde escolher seus amigos. Foram perfeitamente felizes, acredito, até que ela morreu de pneumonia em 1905.

— Deixando-o com oito filhos?

— Um morreu na infância. Dois foram mortos na Primeira Guerra. Uma filha casou-se e foi viver na Austrália, onde faleceu. Uma filha solteira morreu num acidente de automóvel. Outra, faleceu há um ou dois anos. Ainda há dois vivos — o filho mais velho, Roger, que é casado, mas não tem descendência, e Philip, que desposou uma atriz famosa e tem três filhos — sua Sophia, Eustace e Josephine.

— E vivem todos nessa... como é mesmo?... Três Oitões?

— Sim. A casa de Roger Leonides foi bombardeada no começo da guerra. Philip e sua família passaram a morar lá em 1938. E há uma tia mais idosa, Edith de Haviland, irmã da primeira sra. Leonides. Ela aparentemente sempre detestou o cunhado, mas, quando a irmã morreu, julgou do seu dever aceitar o convite para morar com ele e cuidar das crianças.

— É uma pessoa que cumpre à risca seus deveres — disse o inspetor Taverner. — Mas não costuma mudar de opinião acerca dos outros. Sempre desaprovou Leonides e seus métodos...

— Bem — disse eu —, a casa parece bem movimentada. Na sua opinião, quem o assassinou?

Taverner sacudiu a cabeça.

— É cedo — disse —, muito cedo para saber.

— Vamos, Taverner — animei-o. — Aposto como você já sabe quem foi. Não estamos no tribunal, homem!

— Não — disse Taverner, abatido. — E talvez nem cheguemos lá.

— Quer dizer que talvez ele não tenha sido assassinado?

— Não é isso. Ele foi assassinado, sim. Envenenado. Mas você sabe como são esses casos de envenenamento. Muito difícil recolher a prova. Coisa muito complicada. Todas as possibilidades parecem apontar numa direção...

— É isso que eu tentava dizer. Você já tem tudo arrumado na cabeça, não tem?

— Trata-se de uma probabilidade muito forte. Uma dessas coisas óbvias. O palco perfeito. Mas, acredite, eu não *sei* ainda. É complicado.

Olhei esperançoso para meu velho.

Ele disse devagar:

— Em casos de homicídio, como você sabe, Charles, o óbvio é geralmente a solução correta. O velho Leonides casou-se outra vez, há dez anos.

— Aos 75?

— Sim, com uma moça de 24 anos.

Assobiei.

— Que espécie de moça?

— Uma moça empregada numa casa de chá. Respeitável, em todos os sentidos... de boa aparência, com um jeitinho anêmico, apático.

— E ela é a possibilidade forte?

— É o que eu digo — falou Taverner. — Ela tem apenas 34 anos agora... uma idade perigosa. Gosta de vida fácil. E há um rapaz na casa. Professor dos netos. Não esteve na guerra. Caso de coração fraco, ou algo parecido. São íntimos, unha e carne.

Pensativo, olhei-o. Tratava-se sem dúvida de um velho quadro familiar. A mistura de sempre. E a segunda sra. Leonides era, conforme meu pai acentuara, muito respeitável. Em nome da respeitabilidade muitos crimes tinham sido cometidos.

— Com que foi? — perguntei. — Arsênico?

— Não. Ainda não recebemos o laudo do perito, mas o médico acha que é eserina.

— Um pouco incomum, não é? Deve ser fácil descobrir o comprador.

— Não neste caso. Pertencia à vítima. Um colírio.

— Leonides sofria de diabete — disse meu pai. — Tomava injeções regulares de insulina. A insulina vem em frasquinhos com tampa de borracha. Uma agulha hipodérmica é enfiada no tampão de borracha, e a injeção, preparada.

Adivinhei o que se seguiria.

— E não havia insulina no frasco, e sim, eserina?

— Exato.

— Quem lhe aplicou a injeção? — perguntei.

— A esposa.

Compreendi então o que Sophia quisera dizer ao mencionar a "pessoa certa".

Perguntei:

— A família dá-se bem com a segunda sra. Leonides?

— Não. Ao contrário, acho que mal se falam.

Tudo parecia mais claro, cada vez mais claro. Todavia o inspetor Taverner também dava mostras claras de insatisfação.

— Por que não está satisfeito? — perguntei-lhe.

— Se ela cometeu o crime, Charles, teria sido muito fácil, depois, pôr no lugar um frasco autêntico de insulina. De fato, se é a culpada, não posso imaginar por que cargas-d'água não agiu assim.

— Sim, parece lógico. Havia muita insulina ao alcance?

— Ah, uma porção de frascos cheios e vazios. Se ela houvesse recorrido à insulina, haveria uma possibilidade em dez de o médico identificar o veneno. Sabe-se muito pouco das aparências *post mortem* de um envenenamento por eserina. Mas, como veio a se examinar a insulina (para o caso de ter sido administrada uma dose errada, ou algo no gênero), não se tardou a constatar que não era insulina.

— Neste caso — disse eu, pensativamente —, parece que a sra. Leonides ou foi muito estúpida... ou talvez muito esperta.

— Quer dizer...

— Que ela pode ter contado com a sua conclusão de que ninguém poderia ser tão idiota a este ponto... como ela parece ter sido. Quais são as alternativas? Há outros suspeitos?

Meu velho respondeu calmamente:

— Praticamente qualquer pessoa da casa poderia ter cometido o crime. Havia sempre um bom estoque de insulina... pelo menos, para uns 15 dias. Um dos vidros podia ter sido falsificado e devolvido ao lugar, na certeza de que viria a ser usado no devido tempo.

— E alguém tinha, mais ou menos, acesso aos frascos?

— Não estavam trancados. Eram guardados numa prateleira especial do armário de remédios, no banheiro do sr. Leonides. Todos da casa entravam e saíam dali livremente.

— Há alguém que tivesse um motivo em especial?

Meu pai suspirou.

— Meu caro Charles, Aristide Leonides era fabulosamente rico! Gastava muito dinheiro com a família, é verdade, mas talvez alguém quisesse ainda mais.

— Mas quem deveria querer mais seria a atual viúva. O admirador dela tem dinheiro?

— Não. É pobre como um rato de igreja.

Alguma coisa estalou na minha cabeça. Lembrei-me da citação de Sophia. De repente recordei o verso inteiro da canção de ninar:

Era uma vez um homem torto que andou por uma estrada torta
E achou uma moeda torta junto a uma porteira torta
Ele tinha um gato torto que caçou um rato torto
E viveram todos juntos numa casinha torta.

Eu disse para Taverner:

— Qual a impressão que ela causa... a sra. Leonides? Que pensa dela?

Ele respondeu vagarosamente:

— Difícil dizer... muito difícil mesmo. Ela não é fácil. Muito quieta... de modo que não se sabe em que pensa. Mas gosta de vida mansa, isso eu chegaria a jurar. Faz-me lembrar um gato, um grande gato preguiçoso, ronronando... Não que eu tenha alguma coisa contra os gatos. Gatos são gatos...

Suspirou.

— O que queremos — disse — são provas.

"Sim", pensei, "todos nós queremos provas de que a sra. Leonides envenenou o marido. Sophia quer, eu quero, e o inspetor-chefe Taverner também quer."

Então, tudo seria formidável!

Mas Sophia não tinha certeza, eu não tinha certeza, e creio que o inspetor-chefe Taverner tampouco tinha certeza...

Capítulo 4

No dia seguinte fui a Três Oitões com Taverner.
Minha posição era das mais curiosas. Melhor dizendo, muito pouco ortodoxa. Mas meu velho nunca primou em ser convencional.
De certo modo eu tinha uma qualificação. Trabalhara com a Divisão de Espionagem da Scotland Yard, durante os primeiros dias da guerra.
Naturalmente isto agora era bastante diferente — mas minhas atuações anteriores conferiam-me, de certa forma, uma posição oficial.
Meu pai dissera:
— Se quisermos mesmo resolver este caso, temos de introduzir um amador. Precisamos saber tudo a respeito do pessoal da casa. Temos de conhecê-los por dentro... não por fora. Você é o homem capaz de encarregar-se disso.
Não gostei. Atirei a ponta de cigarro na lareira enquanto dizia:
— Sou um espião da polícia? É isso? Tenho de extrair informações confidenciais de Sophia, a quem amo e que também me ama e confia em mim, segundo creio?
Meu velho irritou-se. Respondeu com voz cortante:
— Pelo amor de Deus, não veja as coisas por esse prisma! Para começar, você não acredita que sua moça assassinou o avô, acredita?
— Claro que não. A ideia é inteiramente absurda!

— Muito bem... também não pensamos nisso. Ela esteve ausente alguns anos, sempre manteve um bom relacionamento com ele. Recebe uma pensão generosa, e ele ficaria encantado, eu diria, se chegasse a saber do compromisso de vocês. Sem dúvida daria uma linda festa de casamento. Não suspeitamos dela. Por que suspeitaríamos? Mas fique certo de uma coisa: se o crime não se esclarecer, a moça não vai querer casar-se com você. A julgar pelo que me disse, eu tenho certeza disso. E, veja bem, esse é o tipo de crime que talvez não se esclareça nunca. Estamos propensos a crer que a esposa e o jovem admirador agiram em parceria — mas provar isso é outra história. Nem sequer existe um caso para se levar adiante uma investigação. E, a menos que obtenhamos provas evidentes contra ela, sempre perdurará uma dúvida desagradável. Você percebe, não é?

Sim, eu percebia.

Meu velho prosseguiu calmamente:

— Por que não lhe dizer, então?

— Quer dizer... perguntar a Sophia se eu... — parei.

— Sim, sim... — meu velho acenava vigorosamente a cabeça. — Não lhe estou pedindo para entrar sub-repticiamente, sem contar à moça o que pretende. Veja o que ela tem a dizer a respeito.

E assim, no dia seguinte, lá fui eu com o inspetor Taverner e o detetive sargento Lamb para Swinly Dean.

Um pouco depois dos campos de golfe, viramos em uma entrada onde imaginei que, antes da guerra, deveria ter havido um imponente portão duplo. Patriotismo ou uma requisição forçada haviam levado as grades dos portões. Subimos uma longa alameda em curva, cercada de rododendros, e chegamos a um pátio encascalhado, em frente da casa.

Era incrível! Imaginei por que teriam chamado a casa de Três Oitões. Onze Oitões seria mais apropriado! Curiosamente, a casa dava a impressão estranha de ser mesmo torta — e imaginei o porquê. Parecia mesmo com um chalé, mas era um chalé de proporções desmedidas. Como se olhássemos para uma casa de campo através de uma lente de aumento. As vigas oblíquas, os oitões, os frontões... tratava-se de uma casinha torta que crescera feito cogumelo durante a noite!

Entretanto, percebi a intenção. Era a ideia que um grego — gerente de restaurante — fazia da Inglaterra. Destinava-se a ser uma residência típica inglesa, mas fora construída com as proporções de um castelo. Fiquei pensando o que a primeira sra. Leonides achara da casa. Sem dúvida, ela não fora consultada nem vira a planta. Provavelmente a casa fora uma pequena surpresa de seu exótico marido. Imaginei se ela dera de ombros ou sorrira.

Aparentemente, ela vivera ali muito feliz.

— Um tanto apavorante, não é? — disse o inspetor Taverner. — Naturalmente o velho empenhou-se a fundo. Transformou-a em três casas distintas a bem dizer, com cozinhas e tudo o mais. Dentro, tudo é da melhor categoria, mobiliada como um hotel de luxo.

Sophia apareceu à porta da frente. Estava sem chapéu e usava uma blusa verde e uma saia de *tweed*.

Quase caiu para trás quando me viu.

— Você! — exclamou.

— Sophia — disse eu —, preciso falar com você. Onde podemos ir?

Por um instante ela hesitou, mas depois voltou-se e disse:

— Venha.

Passamos pelo gramado. Tinha-se uma bela vista do primeiro campo de golfe de Swinly Dean, que se distanciava até um bosque de pinheiros numa colina e, além dele, até perder-se no campo enevoado.

Sophia conduziu-me a um jardim com canteiros de pedras, um pouco abandonado, onde havia um banco de madeira rústico, bastante desconfortável, e ali nos sentamos.

— E então? — perguntou.

A voz não era encorajadora.

Falei da missão que me fora atribuída — contei tudo.

Ela ouviu muito atenta. Seu rosto não deixou transparecer o que estava pensando, mas, quando finalmente parei, ela suspirou. Foi um suspiro profundo.

— Seu pai — disse — é um homem esperto.

— Meu velho tem suas opiniões. Acho que é uma ideia detestável, mas...

Ela me interrompeu.

— Não, nada disso. A ideia está longe de ser detestável. É a única coisa que pode dar certo. Seu pai, Charles, sabe exatamente o que se passa na minha cabeça. Muito melhor do que você.

Com uma veemência súbita e quase desesperadora, entrelaçou uma mão na outra.

— Tenho de saber a verdade. Preciso saber.

— Por nossa causa? Mas, querida...

— Não apenas por nossa causa, Charles. Preciso saber em benefício de minha própria paz de espírito. Olhe, Charles, não lhe disse ontem à noite... mas a verdade é que... eu estou com medo.

— Medo?

— Sim. Medo... medo... medo. A polícia pensa, seu pai pensa, todo o mundo pensa que foi Brenda.

— As probabilidades...

— Sim, é claro que as probabilidades são inúmeras. É possível. Mas quando eu digo "Brenda provavelmente o matou", torno-me consciente de que isso não passa de um desejo. Porque eu realmente não acredito nisso.

— Não acredita? — perguntei devagar.

— Não sei. Você tomou conhecimento do caso lá fora, como eu queria. Agora, eu o mostrarei de dentro para fora. Eu simplesmente não creio que Brenda seja a espécie de pessoa... o tipo de pessoa capaz de fazer algo que possa ser perigoso para ela. Ela é muito cuidadosa consigo mesma.

— E que me diz do rapaz? Laurence Brown.

— Laurence é um animalzinho assustado. Não tem tutano.

— Nunca se sabe.

— Sim, realmente nunca se sabe ao certo, não é mesmo? As pessoas são capazes de nos surpreender terrivelmente. Forma-se uma impressão acerca de alguém, e ela às vezes resulta totalmente errada. Nem sempre... mas, às vezes, acontece. De qualquer modo, Brenda — ela sacudiu a cabeça — sempre agiu de modo previsível! É o que chamaria o tipo indicado para um harém. Gosta de ficar sentada, comer doces, usar roupas e joias bonitas, ler romances baratos e ir ao cinema. Sei que é esquisito o que vou dizer, levando-se em conta que ele tinha 87 anos, mas creio que realmente vovô a impressionava. Ele tinha força, sabe? Acho que podia fazer com que uma mulher se sentisse... bem, como uma rainha, a favorita do sultão! Penso, aliás, sempre pensei, que ele fez Brenda sentir-se uma pessoa muito romântica. Sempre foi um sábio com as mulheres. Trata-se de uma espécie de arte... e não se perde o jeito para isso, apesar da idade.

Deixei o problema de Brenda por um instante e voltei-me a uma frase de Sophia que me preocupara.

— Por que você disse que tinha medo?

Sophia estremeceu ligeiramente e apertou as mãos.

— Porque é a verdade — respondeu em voz baixa. — É muito importante, Charles, que eu o faça compreender isso. Olhe, somos uma família muito estranha... Há muita crueldade em nós... várias formas de crueldade. Isso é o que mais me aflige. As diversas formas de crueldade.

Ela deve ter percebido a incompreensão em meu rosto. Prosseguiu falando com empenho:

— Vou tentar ser clara. Vovô, por exemplo. Uma vez, quando nos falava de sua meninice em Esmirna, mencionou, de modo casual, que apunhalara dois homens. Houve alguma rixa, motivada sem dúvida por um insulto imperdoável... não sei bem... mas a coisa aconteceu com incrível naturalidade. Ele praticamente esquecera o incidente. Mas era uma coisa bem estranha de se ouvir assim, casualmente, na Inglaterra!

Concordei com um aceno de cabeça.

— Esse é um dos tipos de crueldade a que me referi — continuou Sophia. — Agora, minha avó. Mal me lembro dela, mas ouvi muita coisa a seu respeito. Creio que ela possuía a impiedade que deriva da total falta de imaginação. Todos esses ancestrais caçadores de raposas... e os velhos generais do tipo "só matando!". Cheios de retidão e arrogância, sem um pingo de medo de assumir responsabilidades em casos de vida ou morte.

— Isso não parece um tanto forçado?

— Sim, acho que sim... mas senti um pouco de medo dessas coisas. Das pessoas cheias de retidão, mas, ao mesmo tempo, cruéis. Depois, temos a minha mãe... uma atriz. Uma pessoa adorável, mas despida de qualquer senso de proporção. Uma dessas egoístas inconscientes que só conseguem enxergar os problemas na medida em que estes as afetam. Às vezes é de assustar, sabe? Temos Clemency, a mulher do tio Roger. Ela é cientista... vive empenhada em uma descoberta muito importante. É também uma pessoa impiedosa, impessoal e sangue-frio. O oposto do tio Roger. Ele é a pessoa mais bondosa e amável do mundo, mas possui um temperamento terrível. Quando o sangue lhe ferve, não sabe o que faz. E há ainda meu pai...

Ela fez uma longa pausa.

— Meu pai — disse lentamente — é excessivamente bem controlado. Nunca se sabe em que pensa. Jamais demonstra uma emoção. Provavelmente trata-se de uma autodefesa inconsciente contra os descontroles emocionais de minha mãe, mas às vezes isso também me preocupa um pouco.

— Minha querida — disse eu —, você está se preocupando sem necessidade. Acabará por concluir que todos, talvez, sejam capazes de cometer um assassinato.

— Creio que isso é exato. Até eu.

— Você não!

— Sim, Charles, não me transforme em exceção. Acho que eu poderia matar alguém... — Ficou calada um momento e depois acrescentou: — Mas, se o fizesse, teria de ser por um motivo que realmente valesse a pena!

Ri. Não pude evitá-lo. E Sophia também riu.

— Talvez eu seja uma tola — confessou —, mas temos de descobrir a verdade sobre a morte do vovô. É absolutamente necessário. Se ao menos fosse Brenda...

Senti, de súbito, certa pena de Brenda Leonides.

Capítulo 5

Na alameda, vinha em nossa direção uma figura alta, caminhando com vivacidade. Trazia um gasto chapéu de feltro, uma saia informe e um suéter pesadão.

— Tia Edith — disse Sophia.

A figura parou uma ou duas vezes, inclinando-se para as flores, depois veio em nossa direção. Levantei-me.

— Este é Charles Hayward, tia. Minha tia, Edith de Haviland.

Edith de Haviland era uma mulher de cerca de setenta anos. Tinha uma cabeleira grisalha e revolta, o rosto enrugado e um olhar agudo e penetrante.

— Como vai? Já ouvi falar a seu respeito. Voltou do Oriente. E seu pai, como vai?

Um tanto surpreso, eu respondi que ele ia bem.

— Eu o conheci quando era ainda garoto — disse Edith de Haviland. — Conheci também sua mãe. Você se parece muito com ela. Veio para nos ajudar... ou tem outro motivo?

— Espero ser de alguma ajuda — disse meio encabulado.

Ela fez que sim com a cabeça.

— Estamos mesmo precisando de ajuda. A casa está enxameando de policiais. Aparecem quando menos se espera. Não fui com a cara de alguns. Um rapaz que frequentou uma escola decente não devia entrar para a polícia. Outro dia vi o filho de Moyra Kinoul impedindo o trânsito lá no Arco de Mármore. A gente fica sem saber onde está.

Virou-se para Sophia:

— A babá está chamando você, Sophia. Algo sobre peixe.

— Ora! — disse Sophia. — Eu vou telefonar para resolver.

Dirigiu-se rapidamente para a casa. Edith de Haviland voltou-se e seguiu-a lentamente. Eu a acompanhei.

— Não sei o que faríamos sem as babás — disse ela. — Quase todos têm uma velha babá em casa. Elas sempre voltam, lavam, passam, cozinham e arrumam a casa. São fiéis. Esta nossa fui eu mesma quem escolheu... há muitos anos.

Ela se abaixou e arrancou com raiva um matinho no meio de um canteiro.

— É detestável esta jitirana! A pior das pragas. Abafa e se enrola nas plantas, e não se pode arrancá-la direito. Espalha-se por todos os lados!

Com o calcanhar ela esmagou violentamente no chão o raminho verde.

— Esse negócio está cheirando mal, Charles Hayward — disse e olhou na direção da casa. — O que a polícia está pensando do caso? Acho que eu não devia perguntar isso. Parece tão estranho pensar que Aristide foi envenenado. Parece estranho até pensar que ele morreu. Eu não gostava dele... nem um pouco! Mas não consigo acostumar-me com a sua morte... Faz a casa parecer tão... vazia.

Eu não disse nada. Durante a sua breve fala, Edith de Haviland parecia recordar o passado.

— Estive pensando hoje de manhã... eu moro aqui há tanto tempo. Mais de quarenta anos. Vim para cá quando minha irmã morreu. Ele pediu. Sete crianças... e a mais nova apenas com um ano de idade... Não podia deixar que elas fossem educadas por um gringo ordinário, podia? Foi um casamento inadmissível, é claro. Eu sempre imaginei que Marcia tivesse sido enfeitiçada. Um sujeitinho vulgar e horroroso! Ele me deu carta branca... isso eu tenho de reconhecer. Babás, governantas, escolas. E uma alimentação sadia e simples para as crianças... não aqueles pratos apimentados de arroz que ele costumava comer.

— E desde então a senhora está aqui?

— Sim. É estranho de certa forma... Creio que podia ter ido embora depois que as crianças cresceram e se casaram... Acho que na verdade eu me deixei interessar pelo jardim. E depois foi Philip. Se um homem se casa com uma atriz, não deve esperar uma vida caseira. Não sei por que as atrizes têm filhos. Assim que os bebês nascem, elas saem correndo para representar em Edimburgo ou em outro lugar ainda mais distante. Philip fez a coisa mais sensata que pôde: mudou-se para cá com seus livros.

— O que Philip Leonides faz?

— Escreve livros. Nunca soube por quê. Ninguém se interessa em lê-los. São todos sobre obscuros detalhes históricos. Você nunca ouviu falar sobre eles, ouviu?

Eu tive de admitir que não.

— Dinheiro demais, é isso o que ele tem — continuou ela. — A maior parte das pessoas devia deixar de ser excêntrica e trabalhar para ganhar a vida.

— Ele recebe dinheiro pelos livros?

— É claro que não. Parece que é uma grande autoridade em certos períodos históricos e tudo o mais. Mas não tem necessidade de vender seus livros. Aristide garantiu-lhe uma renda de cem mil libras... algo bastante louco! Para evitar os impostos de herança, Aristide tornou-os todos independentes financeiramente. Roger dirige a Associação dos Fornecedores. Sophia tem uma belíssima renda. O dinheiro das crianças está depositado em nome delas.

— Então nenhum deles tinha um interesse direto em sua morte?

Ela me lançou um olhar estranho.

— É lógico que todos tinham. Todos ganharão mais dinheiro. Mas teriam conseguido mais dinheiro se quisessem. Bastava pedir.

— A senhora tem ideia de quem o teria envenenado?

Ela respondeu categórica:

— Não, eu não tenho ideia. E isso me aborrece muito! É desagradável pensar que temos um Bórgia solto pela casa. Suponho que a polícia vai jogar a culpa na pobre Brenda.

— A senhora acha que eles estarão certos se fizerem isso?

— Também não posso dizer nada. Ela sempre me pareceu uma moça tola e vulgar... muito convencional. Não seria a minha ideia de uma envenenadora. Entretanto, é uma mulher jovem, de 24 anos, que se casa com um velho de quase oitenta... está na cara que ela fez isso por dinheiro. Pelo curso normal das coisas, ela certamente esperava tornar-se uma viúva rica muito em breve. Mas Aristide era um velho excepcionalmente forte. A diabete dele não estava piorando. Pelo jeito, ele ia viver cem anos. Vai ver que ela cansou de esperar.

— Neste caso... — eu comecei, mas calei-me.

— Neste caso — disse ela vivamente —, tudo está mais ou menos certo. Uma publicidade desagradável, é claro. Mas, afinal de contas, ela não faz parte da família.

— A senhora não tem outras ideias?

— Que outras ideias eu poderia ter?

Fiquei pensando. Presumia que por baixo daquele chapéu de feltro surrado havia mais do que eu imaginava.

Por trás daquele discurso tumultuado, havia — presumi — um cérebro muito vivo trabalhando. Por um breve instante eu cheguei mesmo a imaginar se não fora a própria Edith de Haviland quem envenenara Aristide Leonides...

Não me pareceu uma ideia assim tão absurda. No fundo de meus pensamentos ainda via a maneira vingativa como ela esmagara o raminho de jitirana no chão com o calcanhar.

Lembrei-me da palavra que Sophia empregara. "Crueldade."

Dei uma olhada de esguelha para Edith de Haviland.

"Se houvesse uma razão que valesse a pena!... Mas no parecer de Edith de Haviland, qual seria a razão que valeria a pena?"

Para saber disso, eu precisava conhecê-la melhor.

Capítulo 6

A porta da frente estava aberta. Entramos em um vestíbulo surpreendentemente espaçoso, mobiliado de forma discreta — móveis bem cuidados de carvalho escuro e metais reluzentes. Na parte dos fundos, onde normalmente deveria haver uma escadaria, havia uma parede branca com uma porta.

— É a parte da casa que meu cunhado ocupava — disse Edith de Haviland. — O andar térreo é de Philip e Magda.

Passamos por uma porta à esquerda que dava para uma ampla sala de estar. As paredes tinham lambris azul-claros, os móveis eram estofados com brocados pesados, e, em cada mesa e em todas as paredes, estavam pendurados retratos e fotografias de atores, bailarinas, peças de teatro e cenários. Um quadro de Degas mostrando dançarinas de balé estava pendurado sobre a lareira. Uma profusão de flores, crisântemos amarelos e enormes vasos de cravos.

— Presumo — disse a srta. de Haviland — que queira conhecer Philip.

Será que eu queria mesmo conhecer Philip? Não tinha ideia. A única coisa que queria fazer era ver Sophia, e isso já conseguira. Ela dera o seu enfático apoio ao plano do meu velho — mas depois saíra de cena e provavelmente, agora, estaria em outro lugar qualquer telefonando a respeito de um peixe — sem ter dado nenhuma indicação de como eu deveria agir. Será que devia apresentar-me a Philip Leonides como um rapaz que queria casar-se com sua filha, como um amigo casual que viera fazer uma visita (decerto não era o momento indicado!) ou como um auxiliar da polícia?

Edith de Haviland não me deu tempo de pensar. De fato, ela não estava formulando uma pergunta e sim fazendo uma afirmação.

— Vamos à biblioteca — disse ela.

Conduziu-me por um corredor até outra porta.

Era uma sala grande, cheia de livros. Os livros não estavam apenas nas prateleiras que subiam até o teto. Estavam em cadeiras, mesas e mesmo pelo chão. Assim mesmo, não havia um ar de desordem muito grande.

A sala era fria. E havia no ar a falta de um cheiro que esperava sentir — cheirava a mofo de livros velhos e a um ligeiro perfume de cera de abelha. Em poucos segundos, percebi o que estava faltando: era o cheiro de fumo. Philip Leonides não era fumante.

Ele se ergueu da mesa onde estava quando entramos — era um homem alto, que aparentava ter uns cinquenta anos, e era extraordinariamente bonito. Todos tinham enfatizado tanto a feiura de Aristide Leonides que eu não sei por qual razão esperava que seu filho também fosse feio. O que eu não estava preparado para encontrar era uma tal perfeição de traços — o nariz reto, a linha perfeita do queixo, os cabelos louros já um pouco grisalhos, jogados para trás, e a testa bem proporcionada.

— Este é Charles Hayward, Philip — disse Edith de Haviland.

— Ah, como tem passado?

Eu não tinha ideia se ele já ouvira falar de mim. A mão que me estendeu era fria; a expressão, indiferente. Isso me fez ficar mais nervoso. Ele continuou de pé, paciente e desinteressado.

— Onde andam todos aqueles policiais horrorosos? — perguntou Edith de Haviland. — Já estiveram aqui?

— Creio que o inspetor-chefe... — ele deu uma olhada num cartão em sua mesa — ahn... Taverner, virá falar comigo daqui a pouco.

— Onde ele está agora?

— Não tenho ideia, tia Edith. Lá em cima, eu acho.

— Com Brenda?

— Não sei mesmo.

Olhando-se para Philip Leonides, parecia impossível imaginar que um crime tivesse acabado de ser cometido em suas proximidades.

— Magda já está de pé?

— Não sei. Geralmente ela não se levanta antes das onze horas.

— É, isso é típico dela — resmungou Edith de Haviland.

O que era mesmo típico de Magda Leonides era a voz aguda. Ela falava muito depressa e se aproximava rapidamente. A porta às minhas costas abriu-se bruscamente, e uma mulher entrou. Eu não sei como ela conseguiu dar a impressão de serem três mulheres entrando na sala em vez de uma só.

Estava fumando um cigarro numa piteira comprida e usava um *négligé* pêssego de cetim que segurava com uma das mãos. Uma enorme quantidade de cabelos ruivos caía em cachos sobre os seus ombros. O rosto impressionava pela nudez que as mulheres de hoje em dia têm quando não estão maquiadas. Os olhos eram azuis e imensos, e ela falava depressa, com voz rouca e atraente, com uma dicção muito clara.

— Querido, eu não aguento mais... eu não aguento mais isso. Imagine só o noticiário... Ainda não está nos jornais, mas é claro que em breve estará... e eu ainda não pensei como vou apresentar-me no inquérito: devo parecer muito abatida? Mas eu acho que de preto não, talvez roxo escuro... e não me sobrou nenhum talão... e eu perdi o endereço daquele homem horroroso que me vendia talões. Você se lembra? Aquela garagem perto da avenida Shaftesbury... e se eu for lá de automóvel a polícia vai me seguir... e podem fazer perguntas desagradáveis, não podem? Sei lá... o que vou dizer? Puxa, como você está calmo, Philip! Como pode ser assim tão calmo? Não sabe que a gente já pode sair desta casa horrível agora? Liberdade!... Liberdade!... Oh! que indelicadeza... o pobre velho queridinho! É claro que não poderíamos deixar de morar aqui enquanto ele fosse vivo. Ele nos adorava, não é? Apesar das intrigas que aquela mulher lá de cima procurava fazer entre nós. Eu tenho certeza de que, se nós nos tivéssemos mudado, deixando-os sozinhos, ele nos teria deserdado. Criatura horrível! Imagine que o pobre coitadinho já estava perto dos noventa... nem todos os sentimentos da família podiam lutar contra aquela mulher pavorosa. Sabe, Philip? Acho que é uma oportunidade maravilhosa para representarmos a peça de Edith Thompson. Esse crime vai nos dar um bocado de publicidade gratuita. Bildenstein disse que ele podia arranjar o teatro Thespian... é uma peça tremenda em verso sobre aqueles mineiros e está quase pronta... é um papel maravilhoso!... maravilhoso! Eu sei que dizem que eu devo fazer apenas comédia, por causa do meu nariz, mas você sabe que se pode arranjar um toque de comédia no papel de Edith Thompson... eu acho que nem o autor teve essa ideia... mas a comédia aumenta o suspense. Eu sei exatamente como interpretar o papel... bem lugar-comum, bem tola, uma aparência fingida até o último momento, e então...

Ela estendeu o braço num gesto violento — o cigarro voou da piteira para cima da mesa de mogno encerado de Philip e começou a queimar a madeira. Impassível ele o apanhou e colocou dentro da cesta de papéis usados.

— E então... — suspirou Magda Leonides, os olhos de repente arregalados, o rosto contraído — apenas o terror...

A rígida expressão de terror ficou em seu rosto por uns vinte segundos, depois descontraiu-se, tornou a se contrair — desta vez como uma criança espantada prestes a desmanchar-se em lágrimas.

De repente todas as emoções desapareceram como que apagadas por uma esponja e, voltando-se para mim, ela perguntou em um tom muito profissional:

— Não acha que é assim que se deve desempenhar o papel de Edith Thompson?

Eu disse que achava que era exatamente assim que se devia representar o papel de Edith Thompson. No momento, mal me lembrava de quem era Edith Thompson, mas estava ansioso por causar boa impressão à mãe de Sophia.

— Quase igual a Brenda, realmente, não acha? — disse Magda. — Sabe? Eu ainda não tinha pensado nisso. É muito interessante. Será que devo lembrar ao inspetor?

O homem por trás da mesa franziu ligeiramente a testa.

— Não há nenhuma necessidade, Magda — disse ele —, de você falar com ele. Eu direi tudo o que for necessário.

— Não falar com ele? — ela levantou a voz. — Mas é claro que preciso falar com ele! Querido, querido, você não tem imaginação alguma! Não imagina a importância dos detalhes. Ele precisa saber exatamente como foi e quando tudo aconteceu e as coisinhas pequenas que a gente nota na hora e não dá a importância devida...

— Mamãe — disse Sophia, entrando pela porta aberta —, a senhora não vai contar uma porção de mentiras para o inspetor.

— Sophia... querida...

— Eu sei, mãezinha, que a senhora já tem tudo decorado na cabeça e está pronta para desempenhar um papel maravilhoso. Mas acontece que decorou tudo errado. Completamente errado.

— Tolice. Você não sabe...

— Sei, sim. Precisa representar de uma maneira diferente, querida. Humilde... falando pouco... escondendo alguma coisa... para sua proteção... para a proteção da família.

O rosto de Magda Leonides espelhou a ingênua perplexidade de uma criança.

— Meu amor... — começou ela — você pensa mesmo...

— Claro que sim. Esqueça o resto. O papel é este.

Sophia continuou a falar, e um sorriso satisfeito foi aparecendo aos poucos no rosto de sua mãe.

— Eu prepararei um chocolate para a senhora. Está na sala de estar.

— Oh, que ótimo! Estou morrendo de fome...

Ela parou ao chegar à porta:

— Você não faz ideia — disse ela, e as palavras parece que foram dirigidas para mim ou para a estante que estava às minhas costas — como é adorável ter uma filha!

Com essa deixa de saída, ela foi embora.

— Só Deus sabe — disse Edith de Haviland — o que ela vai contar para a polícia!

— Ela vai falar tudo certo — garantiu Sophia.

— Ela pode dizer qualquer coisa.

— Não se preocupe — disse Sophia. — Ela vai representar da maneira que o diretor de cena mandar. E o diretor sou eu!

Ela saiu atrás da mãe, mas logo deu meia-volta e anunciou:

— O inspetor Taverner está aqui para vê-lo, papai. O senhor não se importa que Charles assista à entrevista, não é?

Pensei ver um ligeiro ar de espanto passar pelo rosto de Philip Leonides. É bem possível. Mas o seu hábito de desatenção desta vez me foi útil. Ele murmurou:

— Oh, claro que não... claro que não... — numa voz um tanto vaga.

O inspetor Taverner entrou, seguro de si, digno de confiança, com um ar de desembaraço profissional que era, de certa forma, tranquilizador.

"Só esse ligeiro aborrecimento", era o que parecia dizer, "e então sairemos desta casa de uma vez. Ninguém vai ficar mais satisfeito do que eu. Não gostamos de forçar nossa presença, isso eu posso garantir...".

Não sei como ele conseguia dar essa impressão sem dizer uma única palavra, apenas no gesto de arrastar uma cadeira para perto da mesa — eu só sei que funcionava. Sentei-me discretamente num canto da sala.

— Sim, inspetor? — disse Philip.

Edith de Haviland interrompeu bruscamente.

— O senhor não vai precisar de mim, não é, inspetor?

— Por enquanto, não, srta. de Haviland. Mais tarde, se eu pudesse, gostaria de trocar umas palavras com a senhorita...

— É claro. Estarei lá em cima.

Ela saiu, fechando a porta ao passar.

— Sim, inspetor? — repetiu Philip.

— Eu sei que o senhor é um homem muito ocupado e não tomarei o seu tempo. Mas precisava comunicar-lhe que as nossas suspeitas se confirmaram. Seu pai não morreu de morte natural. A morte foi em virtude de uma dose muito elevada de fisostigmina... mais conhecida como eserina.

Philip fez que sim com a cabeça. Não demonstrou nenhuma emoção em especial.

— Eu não sei se isso lhe sugere algo — continuou Taverner.

— O que poderia sugerir? Meu ponto de vista pessoal é o de que meu pai deve ter tomado o veneno por acidente.

— O senhor pensa realmente assim, sr. Leonides?

— Sim, me parece perfeitamente cabível. Lembre-se de que ele estava perto dos noventa anos e via muito pouco.

— Então ele esvaziou o conteúdo de seu vidro de colírio dentro de um frasco de insulina. Será que essa lhe parece uma sugestão viável, sr. Leonides?

Philip não respondeu. Sua expressão tornou-se ainda mais inexpressiva.

Taverner continuou:

— Encontramos o vidro de colírio... vazio... na lata de lixo e sem nenhuma impressão digital. Por si só isso já é um fato curioso. Normalmente deveria haver impressões. Com certeza seu pai, sua madrasta ou possivelmente o criado...

Philip Leonides levantou a cabeça.

— Que tal o criado? — perguntou. — O que me diz de Johnson?

— O senhor sugere que seja Johnson o provável criminoso? Com certeza ele teve oportunidade... Mas, quando levamos em consideração o motivo, é bem diferente. Era costume de seu pai pagar-lhe todos os anos uma gratificação... e a cada ano a gratificação aumentava. Seu pai lhe dissera que se tratava de uma recompensa, em lugar de lhe deixar alguma coisa no testamento. Essa gratificação, depois de sete anos de serviço, alcançara uma soma considerável e continuava aumentando. É óbvio que, para o interesse de Johnson, seu pai deveria viver o máximo possível. Além disso, eles mantinham uma boa relação, e o histórico de serviços anteriores de Johnson é irrepreensível. Ele é muito fiel e competente como criado de quarto — fez uma pausa. — Nós não suspeitamos de Johnson.

Philip respondeu vagamente:

— Compreendo.

— Agora, sr. Leonides, o senhor pode nos fazer um relato detalhado de seus próprios atos durante o dia da morte de seu pai?

— Certamente, inspetor. Estive nesta sala o dia inteiro... excetuando as horas das refeições, é claro.

— Não viu seu pai durante o dia?

— Eu lhe dei bom-dia depois do café, como era meu hábito.

— Esteve sozinho com ele nesse momento?

— Minha... ahn... madrasta estava no quarto.

— Ele lhe pareceu normal?

Com um leve toque de ironia, Philip replicou:

— Ele não demonstrou nenhum conhecimento prévio de que seria assassinado naquele dia.

— A parte da casa que seu pai ocupava é completamente separada desta?

— Sim, a única comunicação é pela porta que fica na sala de entrada.

— A porta é trancada?

— Não.

— Nunca?

— Que eu saiba, não.

— Qualquer pessoa podia circular livremente entre esta ou aquela parte da casa?

— Claro. Eram apenas separadas por motivos de conveniências domésticas.

— Como tomou conhecimento da morte de seu pai?

— Meu irmão Roger, que ocupa a ala esquerda do andar de cima, desceu correndo para me dizer que meu pai tivera um ataque repentino. Tinha dificuldade em respirar e parecia muito mal.

— O que o senhor fez?

— Telefonei para o médico, coisa que ninguém ainda pensara em fazer. O médico tinha saído... e eu deixei um recado para que ele viesse para cá o mais depressa possível. Então subi.

— E então?

— Meu pai estava obviamente muito mal. Morreu antes de o médico chegar.

Não havia nenhuma emoção na voz de Philip. Estava apenas enunciando um fato consumado.

— Onde estava o restante da família?

— Minha mulher estava em Londres. Ela chegou logo depois. Sophia também não estava, creio eu. Os dois mais novos, Eustace e Josephine, estavam em casa.

— Eu peço que o senhor não me compreenda mal, sr. Leonides, se eu lhe perguntar exatamente como a morte de seu pai afetará sua posição financeira.

— Aprecio muito os seus esforços em apurar todos os fatos. Meu pai tornou-nos financeiramente independentes há muitos anos. Meu irmão é presidente e o principal acionista da Associação de Fornecedores, a maior companhia de meu pai, e é o único responsável por ela. Ele me deu uma soma em dinheiro equivalente... posso dizer-lhe que foi cerca de 150 mil libras em letras e ações. Deu também somas consideráveis para minhas duas irmãs que já faleceram.

— Mas apesar disso ele ainda guardou uma fortuna considerável para si, não?

— Não, na verdade ele ficou apenas com uma pequena parcela de sua fortuna. Disse que isso lhe daria mais interesse na vida. Desde então — pela primeira vez um leve sorriso delineou-se no rosto de Philip —, ele se tornou, devido a diversos empreendimentos, um homem ainda mais rico do que já era.

— Seu irmão e o senhor vieram morar aqui. Foi devido a dificuldades... financeiras?

— É lógico que não. Foi apenas uma questão de conveniência. Meu pai sempre nos dizia que seríamos bem-vindos aqui. Por diversas razões familiares, isso se tornou conveniente para mim. E também — acrescentou Philip ponderadamente —, eu gostava imensamente de meu pai. Vim para cá com minha família em 1937. Não pago aluguel, e sim uma porcentagem das despesas.

— E seu irmão?

— Meu irmão veio para cá depois que a casa dele em Londres foi bombardeada em 1943, num ataque repentino.

— Agora, sr. Leonides, o senhor tem alguma ideia sobre as disposições testamentárias de seu pai?

— Creio que sim. Ele refez seu testamento logo depois que a paz foi assinada em 1945. Meu pai não era homem de guardar segredos. Fez uma reunião familiar na qual o seu advogado também estava presente e, a seu pedido, nos tornou cientes dos termos de seu testamento. Eu imagino que o senhor já conheça esses termos. O sr. Gaitskill sem dúvida já deve tê-lo informado. Aproximadamente uma soma de cem mil libras livres de impostos para minha madrasta, além de sua já generosa pensão fixada na ocasião do casamento. O total líquido de sua herança foi dividido em três partes, uma para mim, uma para meu irmão e a terceira depositada em nome de seus três netos. A herança é muito grande, mas os impostos sobre ela, é claro, serão bem pesados.

— Alguma doação para empregados ou para caridade?

— Nenhuma doação de espécie alguma. Os salários pagos aos empregados eram aumentados anualmente se eles permanecessem em serviço.

— O senhor não está... perdoe-me a pergunta... precisando de dinheiro no momento, sr. Leonides?

— O imposto de renda é bastante pesado, inspetor... mas minhas rendas me bastam amplamente... e também para minha esposa. Além disso, meu pai sempre nos dava presentes generosos, e, se surgisse alguma emergência, imediatamente ele vinha em nosso auxílio.

Philip acrescentou de maneira fria e insofismável:

— Eu lhe garanto, inspetor, que não possuía nenhuma razão financeira para desejar a morte de meu pai.

— Eu sinto muito, sr. Leonides, se pensou que eu estava sugerindo isso. Mas precisamos apurar todos os fatos. Peço que me desculpe, mas preciso ainda fazer-lhe algumas perguntas muito delicadas. A respeito da relação entre seu pai e sua madrasta. Eles eram felizes juntos?

— Que eu saiba, perfeitamente felizes.
— Nenhuma briga?
— Creio que não.
— Havia... uma grande diferença de idade?
— Havia.
— O senhor... perdoe-me... aprovou o segundo casamento de seu pai?
— Não me pediram aprovação.
— Isso não é resposta, sr. Leonides.
— Já que o senhor insiste, eu diria que considerei esse casamento... insensato.
— O senhor censurou seu pai pelo fato?
— Quando eu soube, já era um fato consumado.
— Foi um grande choque para o senhor, não?
Philip não respondeu.
— Ficou algum ressentimento envolvendo o assunto?
— Meu pai era livre para fazer o que bem entendesse.
— Suas relações com a segunda sra. Leonides eram amigáveis?
— Perfeitamente.
— O senhor mantinha laços de amizade com ela?
— Nós nos víamos raramente.
O inspetor Taverner mudou de assunto.
— O senhor pode dizer-me algo a respeito do sr. Laurence Brown?
— Sinto muito, mas não posso. Ele foi contratado por meu pai.
— Mas foi contratado para ensinar seus filhos, sr. Leonides.
— É verdade. Meu filho sofreu de paralisia infantil... felizmente um caso leve... mas consideramos que não seria prudente mandá-lo para uma escola convencional. Meu pai sugeriu que ele e minha filha mais nova, Josephine, tivessem um professor particular... naquela época a escolha era muito reduzida... uma vez que o professor em questão teria de ser inapto para o serviço militar. As credenciais desse rapaz eram satisfatórias, e meu pai e minha tia (que sempre zelou pelo bem-estar das crianças)

se deram por satisfeitos, e eu concordei. Posso acrescentar que nunca encontrei nenhum defeito em seus métodos de ensino, que sempre foram responsáveis e adequados.

— Os aposentos dele são na parte da casa ocupada por seu pai ou aqui?

— Lá há mais espaço.

— O senhor notou alguma vez... peço que me desculpe a pergunta... algum sinal de intimidade entre Laurence Brown e sua madrasta?

— Eu nunca tive oportunidade de observar nada nesse sentido.

— O senhor ouviu alguma vez boatos ou mexericos a esse respeito?

— Eu não dou ouvidos a boatos ou mexericos, inspetor.

— Muito louvável de sua parte — disse o inspetor Taverner. — Então o senhor não viu nada de mau, não ouviu nada de mau e também não falará nada de mau, não é?

— O senhor interpretará como quiser, inspetor.

O inspetor Taverner levantou-se.

— Bem — disse ele —, muito obrigado, sr. Leonides.

Eu o segui discretamente quando saiu da sala.

— Nossa! — disse Taverner —, que sujeito intragável!

Capítulo 7

— E agora — disse Taverner — vamos ter uma palavrinha com a sra. Philip. O nome artístico dela é Magda West.

— Ela tem talento? — perguntei. — Eu a conheço de nome e me recordo de tê-la visto em várias peças, mas não consigo lembrar onde, nem quando.

— Ela é dessas que são "quase um sucesso" — disse Taverner. — Fez sucesso uma ou duas vezes no West End e adquiriu certo nome no Teatro de Repertório; geralmente trabalha nesses teatros esnobes e nos clubes mais fechados. Acredito, de verdade mesmo, que ela nunca precisou viver disso, e foi o que a prejudicou. Ela sempre pôde escolher, sempre foi aonde quis e de vez em quando entra com dinheiro para financiar uma peça que tem um determinado papel que sente vontade de representar; geralmente o último que deveria representar... O resultado é que ela é considerada mais amadora do que uma verdadeira profissional. Trabalha muito bem, apesar de tudo, especialmente em comédias, mas os diretores não gostam muito dela. Dizem que é muito independente e cria muita confusão, arranja brigas e depois se diverte com as travessuras. Não sei se é verdade, mas ela também não desfruta de muita popularidade entre os colegas de trabalho.

Sophia veio da sala de estar e disse:

— Mamãe está lá, inspetor.

Eu segui Taverner até a grande sala de estar. No primeiro momento, quase não reconheci a mulher que estava sentada no sofá de brocado.

Os cabelos ruivos estavam presos no alto da cabeça num penteado eduardiano, e ela vestia um traje cinza-escuro feito sob medida e uma blusa lilás muito clara, delicadamente preagueada, com um decote alto fechado por um pequeno camafeu. Pela primeira vez eu reparei na delicadeza de seu nariz arrebitado. Lembrei-me vagamente de Athene Seyler — e me pareceu impossível imaginar que fosse a mesma criatura tempestuosa do *négligé* pêssego.

— Inspetor Taverner? — disse ela. — Entre, por favor, e sente-se. Quer fumar? Este assunto é muito desagradável. Ainda não consigo acreditar no que aconteceu.

Sua voz era baixa e inexpressiva, a voz de uma pessoa determinada a demonstrar a todo o custo o seu autodomínio. Ela continuou:

— Por favor, diga-me em que lhe posso ser útil.

— Obrigado, sra. Magda Leonides. Onde a senhora estava no momento da tragédia?

— Creio que estava voltando de Londres. Almocei lá, naquele dia, no Ivy, com uma amiga. Depois nós fomos a um desfile de modas. Estivemos no Berkeley tomando um drinque com outros amigos. De lá, vim para casa. Quando cheguei aqui, tudo estava um tumulto só. Parece que meu sogro teve um ataque repentino. Ele estava... morto — a voz dela estremeceu ligeiramente.

— A senhora gostava de seu sogro?

— Eu adorava...

A voz subiu de tom. Sophia endireitou, imperceptivelmente, a posição do quadro de Degas. A voz de Magda voltou ao tom anterior.

— Eu gostava muito dele — disse com muita calma. — Todos nós. Ele era... muito bom para nós.

— A senhora se dava bem com a sra. Brenda Leonides?

— Quase não víamos Brenda.

— Por quê?

— Bem, nós não tínhamos muita coisa em comum. Pobre Brenda. A vida deve ter sido dura para ela algumas vezes.

Novamente Sophia ajeitou o Degas.

— É mesmo? Em que sentido?

— Oh, eu não sei. — Magda balançou a cabeça, com um discreto sorriso triste.

— A sra. Leonides era feliz com o marido?

— Oh, eu creio que sim.

— Não brigavam?

Outra vez o leve aceno negativo de cabeça e o mesmo sorriso.

— Na verdade, eu não sei dizer, inspetor. A parte da casa onde eles moravam é separada desta.

— Ela e o sr. Laurence Brown eram muito amigos, não eram?

Magda Leonides endireitou-se. Seus olhos muito abertos olharam com recriminação para o inspetor.

— Eu não creio — disse ela com dignidade — que o senhor deva fazer-me perguntas como essa. Brenda é muito amável com todas as pessoas. Ela sempre foi uma criatura muito gentil.

— A senhora gosta do sr. Laurence Brown?

— Ele é muito tranquilo. Bastante simpático, quase não se nota sua presença. Eu quase não o vejo.

— O seu ensino é satisfatório?

— Creio que sim. Na verdade, eu não sei dizer. Philip parece estar satisfeito.

Taverner arriscou uma tática de choque.

— Eu sinto ter de fazer-lhe essa pergunta, mas, em sua opinião, havia alguma coisa... assim no gênero de um caso de amor... entre o sr. Brown e a sra. Brenda Leonides?

Magda levantou-se. Ela tinha o ar de uma grande dama.

— Eu nunca vi nada que evidenciasse algo do gênero — disse ela. — E eu não creio, inspetor, que essa seja uma pergunta que se deva fazer a mim. Ela era a esposa de meu sogro.

Eu quase bati palmas.

O inspetor também se levantou.

— Seria mais uma pergunta para fazer aos criados? — sugeriu ele.

Magda não respondeu.

— Muito obrigado, sra. Leonides — disse o inspetor, e saiu.

— A senhora esteve maravilhosa, mamãe — disse Sophia calorosamente para a mãe.

Magda enrolou um cacho de cabelo atrás da orelha direita, olhando-se meditativamente no espelho.

— S-sim — disse ela —, creio que foi a maneira correta de interpretar esse papel.

Sophia olhou para mim.

— Você não devia — perguntou ela — acompanhar o inspetor?

— Sophia, o que eu devo fazer...

Parei. Eu não podia perguntar ali em frente à mãe de Sophia qual era exatamente o papel que eu deveria assumir. Magda Leonides já demonstrara suficientemente não ter o mínimo interesse na minha presença, exceto como um espectador útil para apreciar as suas deixas finais sobre filhas. Eu podia ser um repórter, o noivo de sua filha, um obscuro funcionário da polícia ou mesmo um papa-defuntos — para Magda Leonides todos seriam apenas rotulados como audiência comum.

Olhando para os pés, Magda Leonides disse aborrecida:

— Estes sapatos não estavam bem. São frívolos.

Obedecendo ao imperativo aceno de cabeça de Sophia, eu saí correndo atrás de Taverner. Alcancei-o no saguão da entrada, no momento em que ia entrar pela porta que dava para a escadaria.

— Ia subir para ver o irmão mais velho — explicou ele. — Com ele posso falar com menos cerimônia.

— Olhe aqui, Taverner, quem devo ser?

Ele pareceu surpreso.

— Quem você deve ser?

— Sim, o que estou fazendo nesta casa? Se alguém me perguntar, o que digo?

— Ahn... sei... — pensou um momento. Depois sorriu. — Alguém já perguntou?

— Bem... não.

— Então, por que não deixa como está? Não explique nada. É um bom lema. Sobretudo numa casa transtornada como esta. Cada um está tão assoberbado com seus próprios problemas e temores que ninguém está em condições de fazer perguntas. Eles confiarão em você enquanto parecer seguro de si. É um grande erro falar quando não há necessidade. Hum... vamos subir as escadas. A porta não está trancada. É claro que você já percebeu, eu presumo, que essas perguntas que estou fazendo não servem para nada. Não tem o menor sentido saber quem estava ou não em casa, ou onde estavam todos naquele dia particular...

— Então por que...

Ele continuou:

— Porque pelo menos me dá uma oportunidade de dar uma olhada neles todos, estudá-los e escutar o que têm a dizer... e esperar que... bem por acaso... alguém possa me dar uma dica útil. — Calou-se durante um instante e murmurou: — Aposto que a sra. Magda Leonides poderia contar um bocado de coisas se quisesse!

— Mas você acreditaria no que ela dissesse? — perguntei.

— Oh, é claro que não — disse Taverner. — Eu não poderia acreditar. Mas poderia servir para o início de uma linha de investigações. Cada um nesta maldita casa teve os meios e a oportunidade. Eu só estou procurando um motivo.

No alto da escadaria, uma porta bloqueava o lado direito do corredor. Na porta, uma argola de bronze que o inspetor Taverner fez soar.

A porta abriu-se tão depressa que mais parecia que o homem estava por detrás à espera. Era um homenzarrão desajeitado, de ombros muito largos, cabelos escuros desgrenhados e o rosto horrivelmente feio, mas ao mesmo tempo muito simpático. Seus olhos se fixaram em nós e logo se desviaram daquela maneira encabulada que tantas vezes têm as pessoas tímidas mas honestas.

— Oh, é o senhor — disse ele. — Entrem. Por favor. Eu ia sair... mas não tem importância. Venham para a sala de visitas.

Eu vou chamar Clemency. Oh... aí está você, querida. É o inspetor Taverner. Ele... O senhor tem cigarros? Espere um instante. O senhor me dá licença... — Chocou-se contra um biombo, disse "desculpe" para a parede, muito atarantado e saiu da sala.

Parecia a saída de uma abelha barulhenta, e deixou um grande silêncio atrás de si.

A sra. Roger Leonides estava de pé perto da janela. Eu fiquei imediatamente fascinado pela sua personalidade e pela atmosfera da peça onde me encontrava.

Via-se claramente que era o seu quarto. Disso eu não tinha a menor dúvida.

As paredes eram pintadas de branco — branco mesmo, e não marfim ou creme, que é geralmente o que se usa quando se diz "branco" em decoração. Não havia quadros nas paredes, exceto um sobre a lareira, representando uma fantasia geométrica em triângulos cinza-escuro e azul-marinho. Quase não havia móveis — apenas o necessário, três ou quatro cadeiras, uma mesa com tampo de vidro, uma pequena estante. Não havia enfeites. Havia luz, ar e espaço. Era tão diferente da sala cheia de brocados e flores do andar de baixo quanto a água do vinho. E também a sra. Roger Leonides era tão diferente da sra. Philip Leonides quanto uma mulher pode ser diferente de outra. Sentia-se que Magda Leonides podia ser, e com frequência era, pelo menos uma meia dúzia de mulheres diferentes, ao passo que Clemency Leonides nunca poderia ser mais ninguém a não ser ela mesma. Era uma mulher de personalidade marcante e bem definida.

Teria cerca de cinquenta anos, eu calculei, o cabelo era grisalho, cortado muito curto, quase como um rapaz, mas assentava tão bem em sua cabeça pequena e bem-feita que não tinha nada daquela feiura que eu sempre associara às mulheres de cabelo curto. A expressão do rosto era inteligente e sensível, com olhos cinza-claro de uma intensidade penetrante e característica. Usava um vestido simples de lã vermelho-escura que acentuava perfeitamente o seu corpo esguio.

Ela era, percebi logo, uma mulher extremamente perigosa... Talvez porque imaginei que ela não se guiasse pelos preceitos de uma mulher comum. Compreendi logo por que Sophia usara a palavra "crueldade" em relação a ela. Seu quarto era frio, e estremeci ligeiramente.

Clemency Leonides falou numa voz calma e bem modulada:

— Por favor, sente-se, inspetor. Há algo de novo?

— A morte foi provocada por eserina, sra. Leonides.

Ela disse pensativa:

— Então veio mesmo a ser um crime. Não poderia ser um acidente ocasional, poderia?

— Não, sra. Leonides.

— Por favor, dê a notícia com muito jeito a meu marido, inspetor. Isso vai fazê-lo sofrer muito. Ele adorava o pai e é muito sensível. É uma pessoa muito emotiva.

— A senhora mantinha boas relações com seu sogro, sra. Leonides?

— Sim, muito boas relações.

Ela acrescentou com muita calma:

— Eu não gostava muito dele.

— Por quê?

— Eu discordava de seus objetivos na vida... e dos métodos para atingi-los.

— E da sra. Brenda Leonides?

— Brenda? Eu sempre a vi muito pouco.

— A senhora acha que seria possível existir alguma coisa entre ela e o sr. Laurence Brown?

— O senhor quer dizer... um caso de amor? Creio que não. Mas, se houvesse, eu não saberia mesmo.

Sua voz era completamente indiferente.

Roger Leonides voltou apressado, sempre dando a mesma impressão de uma abelha barulhenta.

— Chamaram-me — disse ele. — Telefone. Bem, inspetor, então? Já tem alguma notícia? O que causou a morte de meu pai?

— A morte foi provocada por um envenenamento por eserina.

— Foi? Meu Deus! Então foi aquela mulher! Ela não pôde esperar! Ele a tirou da sarjeta, e este foi o seu prêmio. Ela o matou a sangue-frio! Deus, o meu sangue ferve só de pensar nisso!

— O senhor tem alguma razão particular para pensar assim? — perguntou Taverner.

— Razão? Quem poderia ser então? Eu nunca confiei nela, jamais gostei dela! Nenhum de nós gostava dela. Philip e eu ficamos estarrecidos quando papai chegou em casa um dia e nos disse o que havia feito! Na idade dele! Era loucura... *loucura*! Meu pai era um homem estranho, inspetor. Intelectualmente, era jovem e ativo como um homem de uns quarenta anos. Tudo o que tenho no mundo devo a ele. Fez tudo por mim... nunca falhou em nada. Se alguém falhou alguma vez fui eu... quando eu penso nisso...

Deixou-se cair pesadamente numa cadeira. Sua mulher veio imediatamente colocar-se a seu lado.

— Vamos, Roger, já chega. Não se mortifique mais.

— Eu sei, minha querida... eu sei. — Ele lhe tomou as mãos. — Mas como eu posso ficar calmo... Como posso manter a calma...

— Mas todos nós precisamos manter a calma, Roger. O inspetor Taverner precisa da nossa ajuda.

— A senhora está certa, sra. Leonides.

Roger gritou:

— Sabe o que eu gostaria de fazer? Estrangular aquela mulher com minhas próprias mãos. Roubando do pobre velho alguns poucos anos a mais de vida. Se eu pusesse as mãos nela...
— Deu um pulo. Estava trêmulo de ódio. Estendeu as mãos convulsas. — Sim, eu lhe torceria o pescoço... eu lhe torceria o pescoço...

— Roger! — disse Clemency com voz cortante.

Ele olhou para ela, confuso.

— Desculpe, minha querida.

Virou-se para nós:

— Eu peço desculpas. Meus sentimentos transbordaram. Eu... me perdoem...

Ele saiu da sala outra vez. Clemency Leonides disse com um sorriso vago:

— Na verdade, o senhor sabe que ele não faria mal a uma mosca.

Taverner aceitou essa observação polidamente.

E recomeçou com as suas pretensas perguntas de rotina.

Clemency Leonides respondia consciente e acuradamente.

Roger Leonides estivera em Londres no dia da morte do pai, na Box House, a sede da Associação de Fornecedores. Voltara cedo e passara bastante tempo com o pai, como de costume. Ela estivera como sempre no Instituto Lambert, na rua Gower, onde trabalhava. Voltara para casa um pouco antes das seis horas.

— Viu o seu sogro?

— Não. A última vez em que o vi foi no dia anterior. Tomamos café juntos depois do jantar.

— Não o viu no dia de sua morte?

— Não. Estive na parte da casa que ele ocupava porque Roger pensou que tivesse deixado o cachimbo lá... um cachimbo de que ele gosta muito... mas estava mesmo era na mesa do saguão da entrada, e então não tive necessidade de incomodar meu sogro. Geralmente ele cochilava lá pelas seis horas.

— Quando foi informada de seu estado de saúde?

— Brenda veio correndo. Foi um ou dois minutos depois das 18h30.

Essas perguntas, como eu já sabia, não tinham importância, mas eu estava consciente da maneira como o inspetor Taverner observava com perspicácia a mulher que as respondia. Ele fez algumas perguntas sobre a natureza de seu trabalho em Londres. Ela respondeu que era relacionado com os efeitos das radiações da desintegração atômica.

— A senhora trabalha então na bomba atômica?

— Meu trabalho não tem nada de destrutivo. O instituto está realizando experiências apenas para fins terapêuticos.

Quando Taverner levantou-se, demonstrou o desejo de conhecer aquela parte da casa. Ela pareceu um pouco surpresa, mas mostrou-nos imediatamente todo o resto. O quarto de dormir com camas separadas e colchas brancas e a simplicidade da decoração lembrou-me outra vez um hospital ou uma cela de mosteiro. O banheiro também era severamente simples, sem nenhum luxo, nem mesmo os tão comuns potinhos de creme e pintura. A cozinha era nua, impecavelmente limpa e muito bem equipada com inúmeros aparelhos de utilidade doméstica. Clemency abriu outra porta, dizendo:

— Este é o quarto particular de meu marido.

— Entrem — disse Roger —, entrem.

Soltei um suspiro de alívio. Não sei por que, mas aquela atmosfera imaculada lá de fora estava me dando nos nervos. Este quarto era intensamente pessoal. Havia uma escrivaninha grande literalmente coberta de cachimbos velhos, papéis e cinzas. Duas enormes poltronas surradas. Tapetes persas forravam o chão todo. Nas paredes, fotos já um tanto esmaecidas de grupos de pessoas: do colégio, do críquete, de soldados. Aquarelas de desertos e minaretes, barcos a vela, cenas de mar e de sol poente. Era, de fato, um quarto agradável, de um homem cativante e sociável.

Roger, desajeitado, começou a servir as bebidas, afastando livros e papéis de uma das cadeiras.

— Isto aqui está uma bagunça. Eu estava pondo tudo para fora, vendo a papelada que não presta. Quanto quer?

O inspetor recusou a bebida. Eu aceitei.

— Quero pedir-lhe desculpas — continuou Roger.

Trouxe o meu drinque e, virando a cabeça, falou com Taverner:

— Eu me descontrolei.

Ele olhou em torno com um ar de culpa, mas Clemency Leonides não nos acompanhara.

— Ela é maravilhosa — disse ele. — Minha mulher, eu quero dizer. Em meio a tudo isso, ela tem sido esplêndida... esplêndida! Eu não saberia dizer quanto eu admiro aquela mulher! E ela já sofreu tanto... já passou tão mal! Eu vou lhes contar. Foi antes de nos casarmos, eu quero dizer. O seu primeiro marido era um bom sujeito... um tipo inteligente... mas muito franzino, tuberculoso, para falar com franqueza. Estava trabalhando numa pesquisa muito importante sobre cristalografia, eu acho. Serviço mal pago e muito exaustivo, mas ele não desistia. Ela trabalhava como uma escrava para sustentá-lo, sabendo o tempo todo que ele estava à morte. E nunca se queixou... nunca deixou perceber uma fraqueza. Sempre dizendo que era feliz. Quando ele morreu, ela sofreu profundamente. Muito tempo depois, concordou em casar-se comigo. Eu fiquei muito feliz em poder dar-lhe um pouco de descanso, um pouco de felicidade. Fiz tudo para que ela parasse de trabalhar, mas, como era no tempo da guerra, ela considerava o trabalho um dever e, mesmo agora, ainda acha que deve continuar. Tem sido uma esposa maravilhosa... a melhor esposa que um homem pode desejar. Deus, como eu tive sorte! Faria qualquer coisa por ela.

Taverner fez um comentário adequado. Depois recomeçou uma vez mais com as suas perguntas rotineiras:

— Quando soube da doença de seu pai?

— Brenda veio correndo chamar-me. Meu pai estava mal... ela disse que ele tivera uma espécie de ataque. Eu estivera sentado com meu velhinho querido havia uma meia hora apenas. Ele estava otimamente bem. Corri para lá. Ele estava com o rosto azulado, sufocando. Desci correndo para chamar Philip. Ele telefonou para o médico. Eu... nós não pudemos fazer nada. É claro que eu não sonhei, nem por um instante, que houvesse algo engraçado. Engraçado? Eu disse engraçado? Meu Deus, que palavra que eu fui empregar!

Com certa dificuldade, Taverner e eu conseguimos escapar da atmosfera emocional do quarto de Roger Leonides e, finalmente, nos encontramos uma vez mais no alto da escadaria.

— Puxa! — disse Taverner —, que contraste de um irmão para outro.

E acrescentou, um tanto sem propósito:

— Quartos são peças curiosas. Contam muita coisa sobre as pessoas que vivem nelas.

Concordei, e nós fomos em frente.

— É estranho como as pessoas se casam umas com as outras, não é?

Eu não tinha certeza se ele estava se referindo a Clemency e Roger, ou a Philip e Magda. Suas palavras se aplicavam igualmente a ambos. Entretanto eu pensava que os dois casamentos podiam ser considerados uniões felizes. O de Roger e Clemency certamente era.

— Eu não creio que ele seja um envenenador, e você? — perguntou Taverner, e continuou: — Assim de cara eu diria que não. É lógico, a gente nunca sabe. Ela sim, tem mais tipo... Parece uma mulher impiedosa. É capaz até de ser meio doida.

Novamente eu concordei.

— Mas não acredito — disse eu — que ela matasse alguém apenas porque não aprovava os seus objetivos e a sua maneira de viver. Talvez, se ela odiasse realmente o velho... mas existem crimes cometidos apenas por ódio puro?

— Pouquíssimos — disse Taverner. — Eu mesmo nunca vi nenhum. Não, acho melhor ficarmos com a sra. Brenda. Mas só Deus sabe se vamos conseguir alguma prova.

Capítulo 8

Uma copeira abriu a porta da ala oposta do corredor. Parecia amedrontada, mas olhou com certo desdém para Taverner.

— O senhor quer ver a patroa?

— Sim, por favor.

Ela nos levou até uma grande sala de visitas e saiu.

A sala era do mesmo tamanho da que havia no andar de baixo. Os estofados eram de cretones estampados, de cores muito alegres, e as cortinas, de seda listrada. Sobre a lareira havia um retrato que imediatamente chamou minha atenção — não apenas por admirar a mão do mestre que o pintara, mas também pela notável expressão do modelo.

Era o retrato de um homem pequeno, já velho, de agudos olhos escuros. Usava um gorro de veludo negro e tinha a cabeça enterrada nos ombros — mas a vitalidade e o poder daquele homem emanavam da tela. Aqueles olhos faiscantes pareciam prender os meus.

— É ele — disse Taverner simplesmente. — Pintado por Augustus John. Era uma figura, não era?

— Sim — disse eu, mas senti que o monossílabo era inadequado.

Eu entendia agora o que Edith de Haviland quis dizer ao afirmar que a casa parecia vazia sem ele. Era o homenzinho torto original que construíra a casinha torta — e, sem ele, a casinha torta havia perdido o significado...

— Aquela ali era a primeira mulher dele, pintada por Sargent — disse Taverner.

Examinei o quadro entre as duas janelas. Tinha aquela certa crueldade de muitos dos retratos de Sargent. O comprimento do rosto era exagerado — pensei —, e também a ligeira sugestão de um ar cavalar — a incontestável seriedade. Era o retrato de uma típica senhora inglesa da alta sociedade rural (e não do *café society*). Elegante, mas um tanto sem vida. Uma estranha esposa para o pequeno déspota careteiro de cima da lareira.

A porta abriu-se, e o sargento Lamb entrou.

— Eu fiz o que pude com os empregados, senhor — disse ele. — Não adiantou nada.

Taverner suspirou.

O sargento Lamb tirou o seu caderninho do bolso e retirou-se para o canto mais afastado da sala, onde se sentou discretamente.

A porta abriu-se outra vez, e a segunda esposa de Aristide Leonides entrou na sala.

Ela estava de luto — um vestido preto muito caro —, mas um luto meio exagerado. Estava coberta de preto do pescoço aos pés. Ela andava de maneira despreocupada e indolente, e a cor preta lhe caía muito bem. O rosto era razoavelmente bonito, assim como os cabelos castanhos penteados de forma um pouco sofisticada. Apesar do pó de arroz, do batom e do *rouge*, via-se claramente que estivera chorando. Usava um colar de pérolas muito graúdas e tinha em uma das mãos um anel com uma enorme esmeralda, e na outra, um imenso rubi.

Ainda notei outra coisa: tinha o ar assustado.

— Bom dia, sra. Leonides — disse Taverner tranquilamente. — Eu sinto muito por tornar a incomodá-la.

Ela falou com voz abatida:

— Creio que isso não pode ser evitado.

— A senhora sabe, sra. Leonides, que, se por acaso quiser que o seu advogado esteja presente, será perfeitamente normal.

Eu fiquei imaginando se ela havia compreendido o significado dessas palavras. Aparentemente não. Disse apenas um tanto mal-humorada:

— Eu não gosto do sr. Gaitskill. Não quero saber dele.

— A senhora pode ter o seu próprio advogado, sra. Leonides.

— Será que eu preciso? Não gosto de advogados. Eles me atrapalham.

— Cabe exclusivamente à senhora decidir — disse Taverner, mostrando um sorriso automático. — Podemos prosseguir, então?

O sargento Lamb lambeu a ponta do lápis. Brenda Leonides sentou-se no sofá em frente a Taverner.

— O senhor descobriu alguma coisa?

Eu reparei que seus dedos torciam e retorciam uma prega da fazenda de seu vestido.

— Podemos afirmar categoricamente que seu marido morreu em consequência de um envenenamento por eserina.

— O senhor quer dizer que foi aquele colírio que o matou?

— Está praticamente fora de dúvida que, quando a senhora aplicou aquela última injeção no sr. Leonides, foi eserina que injetou e não insulina.

— Mas eu não sabia disso. Não tenho nada a ver com isso. Realmente, inspetor, eu não sabia de nada.

— Então alguém deve ter substituído deliberadamente a insulina pelo colírio.

— Que coisa perversa!

— Sim, sra. Leonides.

— O senhor acha... que alguém fez isso de propósito? Ou foi acidental? Não poderia ter sido... uma brincadeira?

Taverner disse com muita calma:

— Não cremos que tenha sido uma brincadeira, sra. Leonides.

— Deve ter sido um dos empregados.

Taverner não respondeu.

— Só pode ser. Eu não vejo quem pudesse fazer isso.

— A senhora tem certeza? Pense, sra. Leonides... Não tem nenhuma ideia? Não havia nenhum sentimento de maldade? Nenhuma briga? Nenhum rancor?

Ela continuava a encará-lo com olhos arrogantes.

— Não tenho a mínima ideia — disse.

— A senhora tinha ido ao cinema naquela tarde, não tinha?

— Sim, eu cheguei às 18h30... era a hora da insulina... eu... eu... apliquei a injeção como de costume, e então ele... ele ficou logo indisposto. Eu fiquei apavorada... corri para chamar Roger... eu já contei isso tudo ao senhor. Preciso recomeçar outra vez? — a voz dela estava num tom quase histérico.

— Eu sinto muitíssimo, sra. Leonides. Eu posso falar agora com o sr. Brown?

— Com Laurence? Para quê? Ele não sabe de nada.

— Eu gostaria de falar com ele de qualquer forma.

Ela olhou para ele desconfiada.

— Eustace está estudando latim com ele na sala de aula. O senhor quer que ele venha aqui?

— Não, iremos até lá.

Taverner saiu rapidamente da sala. Eu e o sargento Lamb o seguimos.

— O senhor deixou-a com uma pulga atrás da orelha — disse o sargento Lamb.

Taverner soltou um resmungo e nos conduziu a uma pequena escadaria, ao longo de um corredor, até uma sala grande que dava para o jardim. Um homem ainda moço, louro, de uns trinta anos, e um belo rapaz de uns 16 estavam sentados a uma mesa.

Assim que entramos, eles levantaram os olhos. Eustace, o irmão de Sophia, olhou para mim. Laurence Brown olhou para o inspetor Taverner com ar agoniado.

— Oh... ahn... bom dia, inspetor.

— Bom dia. — Taverner foi lacônico. — Posso conversar com o senhor?

— Claro, claro. Com o maior prazer. Enfim...

Eustace levantou-se.

— O senhor quer que eu saia, inspetor?

Sua voz era agradável e tinha uma leve entonação de arrogância.

— Nós... Nós podemos continuar os estudos depois — disse o professor.

Eustace encaminhou-se desatentamente para a porta. Ele tinha um andar desajeitado, duro. Ao sair, me deu uma olhada e, fazendo uma careta, passou o dedo indicador pela garganta. Saiu, fechando a porta.

— Bem, sr. Brown — disse Taverner. — A análise foi positiva. Foi eserina o que causou a morte do sr. Leonides.

— Eu... o senhor quer dizer... que o sr. Leonides foi assassinado mesmo? Eu estava esperando...

— Ele foi envenenado — disse Taverner secamente. — Alguém substituiu a insulina pelo colírio de eserina.

— Eu não posso acreditar... É inacreditável.

— A questão é... quem tinha um motivo?

— Ninguém. Absolutamente ninguém! — a voz do rapaz elevou-se excitada.

— O senhor não quer a presença de seu advogado, quer? — perguntou Taverner.

— Eu não tenho advogado. Eu não quero advogado. Eu não tenho nada a esconder... nada!

— E o senhor está sabendo que tudo o que disser será anotado.

— Eu sou inocente... eu lhe garanto, eu sou inocente.

— Eu não sugeri nada — Taverner fez uma pausa. — A sra. Leonides era muito mais moça que o marido, não era?

— Eu... eu creio que sim... eu quero dizer, era sim.

— Ela se sentia muito solitária de vez em quando?

Laurence Brown não respondeu. Passou a língua sobre os lábios muito secos.

— Ter um companheiro mais ou menos da idade dela morando aqui deve ter sido bastante agradável para ela, não?

— Eu... não, absolutamente... eu quero dizer... eu não sei.

— Parece-me bastante natural que certa afeição deva ter surgido entre vocês dois.

O rapaz protestou violentamente.

— Não era, não, de forma alguma! Nada do que o senhor está pensando... Eu sei o que o senhor está pensando, mas não era, não! A sra. Leonides sempre foi muito gentil comigo, e eu tenho um grande... o maior respeito por ela! Não havia nada, nada mais do que isso! Eu lhe garanto. É monstruoso sugerir uma coisa dessas! Monstruoso! Eu não seria capaz de matar ninguém! Nem de substituir os vidros ou de fazer algo errado. Eu sou muito sensível, tenho os nervos à flor da pele. Eu... só a ideia de um homicídio já é um pesadelo para mim... eles vão compreender isso no tribunal... eu tenho objeções religiosas contra o crime. Eu já trabalhei num hospital... punha carvão nas caldeiras... era um trabalho terrivelmente pesado... eu não pude continuar... então me deixaram trabalhar como educador. Eu tenho feito o melhor que posso com Eustace e com Josephine, uma criança muito inteligente mas muito difícil. E todos têm sido muito gentis comigo... o sr. Leonides, a sra. Leonides e a srta. de Haviland. E agora acontece esta coisa horrível... E o senhor pensa que... eu... seja um criminoso!

O inspetor Taverner olhou para ele como se o avaliasse com interesse.

— Eu não disse nada disso — disse ele.

— Mas o senhor está pensando! Eu sei que o senhor está pensando! Todos eles pensam assim! Eles olham para mim. Eu... eu não posso continuar. Não estou me sentindo bem.

Ele saiu correndo da sala. Taverner voltou a cabeça lentamente para mim.

— Muito bem, o que você acha dele?

— Ele está apavorado.

— Sim, eu sei, mas será que ele é um assassino?

— Se o senhor me perguntasse — disse o sargento Lamb —, eu diria que ele não tem peito para isto.

— Ele nunca quebraria a cabeça de ninguém, nem daria um tiro de revólver — concordou o inspetor. — Mas neste crime específico, o que era preciso fazer? Apenas mexer com duas garrafinhas... Só ajudar um velho a sair deste mundo de uma maneira praticamente indolor...

— Praticamente eutanásia — disse o sargento. — E então, talvez, depois de um intervalo apropriado, o casamento com uma mulher que herdou cem mil libras livres de imposto, que já possui mais ou menos outro tanto pelo casamento, e que, além disso, ainda tem pérolas e rubis e esmeraldas do tamanho de... ovos!

— Muito bem... — Taverner suspirou. — Mas tudo são teorias e conjecturas. Eu fiz o que pude para assustá-lo, mas isso não prova nada. Ele é do tipo que se apavoraria mesmo se fosse inocente. E, de qualquer jeito, duvido de que tenha sido mesmo ele quem praticou o crime. É mais provável que tenha sido a mulher... mas por que cargas-d'água ela não jogou fora o vidro de insulina ou pelo menos lavou-o?

Ele virou-se para o sargento Lamb.

— Os empregados nunca viram nada entre eles?

— A copeira diz que eles gostavam um do outro.

— Até que ponto?

— A maneira como eles se olhavam quando ela lhes servia o café.

— Que beleza para contar na sala do tribunal! Nunca houve nenhum avanço?

— Não que alguém visse.

— Aposto que, se houvesse algo para ver, eles teriam visto. Sabe? Estou começando a acreditar que não havia mesmo nada entre eles. — Olhou para mim: — Volte e vá falar com a mulher. Eu gostaria de ter a sua impressão sobre ela.

Eu fui, relutando um pouco, mas não nego que estivesse interessado.

Capítulo 9

Encontrei Brenda Leonides sentada exatamente onde a deixáramos. Olhou rapidamente para mim quando entrei.

— Onde está o inspetor Taverner? Ele vai voltar?

— Agora não.

— Quem é você?

Finalmente alguém me fez a pergunta que eu estivera esperando durante toda a manhã.

Respondi de forma razoavelmente verdadeira.

— Eu sou ligado à polícia, mas sou também um amigo da família.

— A família! Animais! Eu os odeio todos.

Ela olhou para mim, os lábios trêmulos. Parecia emburrada, assustada e enraivecida.

— Eles têm sido abomináveis comigo... sempre. Desde o início. Por que eu não podia casar com o seu precioso pai? O que importava para eles? Todos tinham montes de dinheiro. Ele o deu para eles. Nenhum tinha cérebro para ganhar dinheiro por conta própria!

Ela continuou:

— Por que um homem não pode casar outra vez, mesmo se já está um pouco velho? E ele não era nada velho... no seu íntimo. Eu gostava dele. Eu gostava muito dele.

Ela olhou para mim arrogantemente.

— Entendo — disse eu. — Entendo.

— Garanto que você não acredita... mas é a verdade. Estava cansada dos homens. Queria ter uma casa... queria alguém que cuidasse de mim e me dissesse coisas agradáveis. Aristide me dizia sempre coisas adoráveis; ele era capaz de fazer a gente rir sempre... e era muito esperto. Pensava em todas as astúcias para passar para trás essas regulamentações tolas. Ele era muito vivo. Eu não fiquei contente por ele ter morrido. Eu fiquei triste.

Ela recostou-se no sofá. Sua boca era um pouco grande, mas curvava-se para cima numa espécie de sorriso preguiçoso.

— Eu fui feliz aqui. Sentia-me segura. Fui a todos esses costureiros famosos... aqueles sobre os quais eu lia nos jornais. Eu valia tanto quanto qualquer pessoa. E Aristide me dava presentes maravilhosos.

Ela estendeu a mão, olhando para o rubi.

Por um segundo eu vi aquele braço e aquela mão como a pata espichada de um gato e ouvi a sua voz como um rom-rom. Ela estava sorrindo consigo mesma.

— O que havia de errado nisso? — perguntou ela. — Eu era boazinha para ele. Eu o fiz feliz — inclinou-se para a frente. — Sabe como o conheci?

Ela prosseguiu sem esperar a resposta.

— Foi no Trevo Alegre. Ele pedira ovos mexidos e torradas, e, quando eu trouxe a comida, estava chorando. "Sente-se aqui", disse ele, "e me conte qual é o seu problema". "Oh, eu não posso", falei, "eles me põem na rua se eu fizer uma coisa dessas". "Não põem, não" disse ele, "o dono do restaurante sou eu". Foi então que olhei para ele. Era um velhinho tão estranho, pensei a princípio... mas tinha uma espécie de poder. Eu disse isso para ele... Você já deve ter ouvido o que todos eles dizem de mim, presumo... Dizem que eu era uma mulher à toa... mas não é verdade. Eu fui muito bem educada. Tínhamos uma loja... uma loja muito distinta... de trabalhos de costura e bordados. Nunca fui desse tipo de moça fácil, que tem um bando de namorados. Mas Terry era diferente. Ele era irlandês... e ia emigrar para o outro lado do mundo... Ele nunca escreveu uma linha, nada... eu acho que era uma tola... E aconteceu o pior. Eu estava grávida... como uma empregadinha qualquer...

A voz dela era desdenhosa em seu esnobismo.

— Aristide foi maravilhoso. Ele disse que tudo acabaria bem. Disse que se sentia muito solitário. Que nos casaríamos imediatamente. Foi como num sonho... E só depois descobri que ele era o grande sr. Leonides. Tinha montes de restaurantes, bares e boates. Foi quase como um conto de fadas, não foi?

— Um verdadeiro conto de fadas — disse eu secamente.

— Nós nos casamos numa igrejinha no centro da cidade e fomos para o exterior.

— E a criança?

Ela me olhou com olhos que pareciam vir de muito longe.

— Não havia criança afinal de contas. Eu me enganara.

Ela sorriu, o mesmo sorriso meio de lado.

— Prometi a mim mesma que seria uma boa esposa para ele, e eu fui. Só servia as comidas de que ele gostava, usava as cores que ele queria e fazia tudo o que podia para agradá-lo. E ele era feliz. Mas nunca conseguimos nos livrar da família dele. Sempre vindo para cá como parasitas, vivendo à custa dele. A velha srta. de Haviland... eu achava que ela devia ter ido embora quando nos casamos. Eu disse isso. Mas Aristide disse que "ela já estava aqui havia muito tempo, que aqui já era a casa dela". A verdade é que ele gostava de tê-los todos debaixo das asas. Eles eram detestáveis para mim, mas ele nunca pareceu ter notado ou se preocupado com isso. Roger me odeia... você já viu Roger? Ele sempre me odiou. Tinha ciúmes. E Philip é tão soberbo que nunca fala comigo. E agora eles estão insinuando eu o assassinei... e não fui eu! Não fui eu! — inclinou-se para mim. — Por favor, você acredita em mim, não é?

Eu a achei digna de pena. A maneira desdenhosa como a família Leonides se referia a ela, a ansiedade que tinham em acreditar que ela cometera o crime — para mim, naquele exato momento, aquilo parecia uma conduta positivamente desumana. Ela estava sozinha, sem defesa, acuada.

— E, se não fui eu, eles pensam que foi Laurence — ela continuou.

— O que me diz de Laurence? — perguntei.

— Eu sinto muitíssimo por Laurence. Ele é fraco e não é capaz de lutar. Não que seja um covarde. Ele é muito nervoso. Eu sempre tentei animá-lo e fazê-lo um pouco feliz. Ele tem de ensinar àquelas crianças horríveis. Eustace está sempre fazendo pouco dele, e Josephine, bem... você já deve ter visto Josephine. Sabe como ela é.

Eu disse que ainda não conhecera Josephine.

— Às vezes penso que aquela menina não é muito certa da cabeça. Ela faz as coisas às escondidas e tem um jeito esquisito... Às vezes ela me dá arrepios...

Eu não queria falar sobre Josephine. Voltei novamente a Laurence Brown.

— Quem é ele? — perguntei. — De onde veio?

Eu fizera uma pergunta meio sem jeito. Ela corou.

— Ele não é ninguém. É assim como eu... Que chance podemos ter contra todos eles?

— Não acha que está sendo um pouco histérica?

— Não acho, não. Eles querem provar que foi Laurence... ou então que fui eu. Estão com a polícia do lado deles. Que chance eu tenho?

— Não se preocupe demais — disse eu.

— Por que não pode ter sido um deles quem o matou? Ou alguém de fora? Ou um dos empregados?

— Há certa falta de motivo.

— Oh, motivo. Que motivo eu tinha? Ou Laurence?

Eu me senti meio encabulado ao dizer.

— Eles podem sugerir, eu presumo, que a senhora e... ahn... e Laurence... estejam apaixonados um pelo outro... e que queriam casar-se.

Ela pôs-se de pé, empertigada.

— Essa é uma sugestão maldosa! E não é verdade! Nunca trocamos uma palavra nesse sentido. Eu só senti pena dele e tentava alegrá-lo. Éramos amigos, nada mais. Você acredita em mim, não acredita?

Eu acreditava nela. Isto é, eu acreditava que ela e Laurence eram apenas, como ela dizia, amigos. Mas eu também acreditava que, possivelmente sem que ela mesma soubesse, estivesse apaixonada pelo rapaz.

Foi com essa ideia na cabeça que desci à procura de Sophia.

Quando eu estava entrando na sala de estar, Sophia enfiou a cabeça por outra porta perto do corredor.

— Olá! — disse ela. — Estou ajudando a babá com o almoço.

Eu ia entrar, mas ela saiu e, puxando-me pelo braço, levou-me para a sala de estar, que estava vazia.

— Bem — disse ela. — Você viu Brenda? O que achou dela?

— Francamente — disse eu —, fiquei com pena dela.

Sophia pareceu divertida.

— Estou vendo — disse. — Então ela já conquistou você.

Eu me irritei.

— A verdade é que posso ver o ponto de vista dela. Aparentemente você não pode.

— Qual é o ponto de vista dela?

— Honestamente, Sophia, algum de vocês da família já tentou ser amável com ela, ou mesmo razoavelmente tolerante, desde que ela veio para cá?

— Não, nenhum de nós tentou ser amável com ela. Por que deveríamos ser?

— Apenas um pouco de caridade cristã, nada mais.

— Que ar arrogante de moralista você está tomando, Charles. Brenda deve ter representado bem demais para você.

— Realmente, Sophia, você parece... eu não sei o que há com você.

— Estou sendo apenas honesta e não estou fingindo. Você diz que viu o lado de Brenda, não foi? Agora, dê uma olhada no meu lado. Eu não gosto desse tipo de moça que inventa uma história triste e se casa com um velho muito rico graças a essa história. Eu tenho todo o direito de não gostar desse tipo de mulher, e não há nenhuma razão válida que me faça fingir o contrário. E se os fatos fossem escritos friamente num papel, você também não gostaria daquela mulher.

— Era uma história forjada? — perguntei.

— Sobre a criança? Eu não sei. Pessoalmente acho que sim.

— E você se ressente pelo fato de seu avô ter sido enganado?

— Oh, não, meu avô não foi enganado — Sophia riu-se. — Meu avô nunca foi enganado por ninguém. Ele queria Brenda. Queria bancar o santo para sua pobre Cinderela. Ele sabia exatamente o que estava fazendo, e tudo correu lindamente como ele esperava. Do ponto de vista de meu avô, o casamento foi um sucesso completo. Como todos os seus outros negócios.

— Contratar Laurence Brown como professor foi outro dos sucessos de seu avô? — perguntei ironicamente.

Sophia franziu a testa.

— Sabe? Não estou tão certa que não tenha sido... Ele queria manter Brenda contente e satisfeita. Talvez tenha pensado que joias e roupas não fossem o suficiente. Ele deve ter pensado que um ligeiro romance em sua vida fosse bom... deve ter calculado que alguém como Laurence Brown, alguém realmente muito dócil, se você entende o que quero dizer, funcionaria bem. Uma linda amizade espiritual, mesclada com melancolia, impediria Brenda de ter um caso verdadeiro com qualquer outro de fora. Eu não me espantaria se meu avô tivesse arquitetado um plano assim. Ele era um velho diabólico, você sabe...

— Deve ter sido mesmo — disse eu.

— Ele pode não ter, é claro, visualizado que resultaria num crime... E é por isso — disse Sophia, falando de repente com veemência — que, por mais que eu queira, não consigo acreditar realmente que foi ela quem o matou. Se ela planejasse assassiná-lo... ou se ela e Laurence tivessem planejado juntos... meu avô teria descoberto tudo. Eu diria que foi assim, mas isso deve parecer-lhe um tanto forçado...

— Confesso que parece.

— Mas você não conhecia o meu avô. Ele certamente não seria conivente com seu próprio assassinato! Então onde estamos? Novamente na estaca zero!

— Ela está apavorada, Sophia — disse eu. — Ela está completamente apavorada.

— Por causa do inspetor-chefe Taverner e seus sorridentes rapazes? Sim, eu diria que eles são um tanto quanto amedrontadores. Eu imagino que Laurence esteja histérico.

— Praticamente. A meu ver, ele fez uma exibição desagradável de si próprio. Eu não entendo o que uma mulher pode ver num homem daqueles.

— Não sabe, Charles? Realmente Laurence é bastante atraente.

— Um fracote daqueles? — disse incrédulo.

— Por que os homens pensam que somente o tipo homem das cavernas seja necessariamente o único tipo atraente para o sexo oposto? Laurence tem atrativos sim... mas eu não esperaria mesmo que você os percebesse — olhou para mim. — Brenda também fisgou-o.

— Não seja ridícula. Ela não é nem mesmo bonita. E certamente não tem...

— Não demonstra seus encantos? Não, ela fez você ficar com pena dela. Ela não é mesmo bonita, não é muito inteligente... mas possui uma característica notável. Ela sempre gera problemas. Já criou um agora, entre mim e você.

— Sophia! — disse aborrecido.

Sophia saiu pela porta.

— Esqueça, Charles, preciso ir ajudar a preparar o almoço.

— Eu irei ajudá-la.

— Não, fique aqui. A babá ficaria atordoada com "um cavalheiro na cozinha".

— Sophia! — chamei quando ela ia saindo.

— O que é?

— Apenas um problema de empregados. Por que vocês não têm empregadas de uniforme aqui e lá em cima para abrir as portas?

— Meu avô tinha cozinheira, copeira, arrumadeira e um criado de quarto. Ele gostava de ter empregados. Pagava-lhes uma fortuna, é claro, e tinha o que queria. Clemency e Roger têm somente uma mulher que vem trabalhar por hora e que faz a limpeza. Eles não gostam de criadas... ou, pelo menos,

Clemency não gosta. Se Roger não fizesse uma refeição decente na cidade todos os dias, ele morreria de fome. A ideia que Clemency faz de uma refeição é alface, tomates e cenoura crua. Às vezes temos empregadas, mas então mamãe tem uma crise temperamental e elas vão embora, e ficamos com uma diarista até recomeçar tudo outra vez. Agora estamos no período das diaristas. A babá é que é permanente e sempre ajuda nas emergências. Agora você já sabe.

Sophia saiu. Eu me afundei numa das enormes poltronas de brocado e desisti de minhas especulações.

No andar de cima, eu havia visto o lado de Brenda. Aqui acabara de ver o lado de Sophia. Calculei a justeza do ponto de vista de Sophia — que poderia ser chamado de ponto de vista da família Leonides. Eles se indignavam com aquela estrangeira que transpusera os portões da família e entrara usando meios que eles consideravam ignóbeis. Eles estavam inteiramente em seus direitos. Como Sophia dissera: no papel a história não parecia bem contada...

Mas havia o lado humano — o lado que eu via, e eles não. Eles eram, e sempre tinham sido, ricos e bem cuidados. Não tinham ideia das tentações de um joão-ninguém. Brenda Leonides quisera ter riqueza, coisas bonitas e segurança — um lar. Ela assegurava que, em troca, fizera de seu velho marido um homem feliz. Eu simpatizara com ela. Certamente, enquanto falava com ela, simpatizara com o seu problema... Simpatizaria ainda agora?

Dois lados de um problema — ângulos diferentes de visão —, qual seria o ângulo verdadeiro... o ângulo verdadeiro...

Eu dormira muito pouco na noite anterior. Acordara muito cedo para acompanhar Taverner. Agora, na atmosfera tépida e perfumada da sala de estar de Magda Leonides, meu corpo relaxou entre os amplos braços acolchoados da enorme poltrona, e meus olhos se fecharam...

Pensando em Brenda, em Sophia, no retrato de um velho, meus pensamentos misturaram-se num cochilo agradável.

Eu adormeci.

Capítulo 10

Voltei à consciência tão lentamente que não percebi logo que estivera dormindo. O perfume das flores me envolvia. À minha frente, uma mancha branca parecia flutuar no espaço. Foram precisos alguns segundos para perceber que era um rosto humano aquilo que eu estava olhando — um rosto suspenso no ar a meio metro de mim. Quando meus sentidos foram voltando, minha visão tornou-se mais precisa. O rosto ainda tinha certa aparência de duende — era redondo, com as sobrancelhas salientes, cabelos penteados para trás e olhos pequenos, pretos e redondos como pérolas. Mas estava definitivamente preso a um corpo — um corpo magro e pequeno. E me olhava com muita atenção.

— Olá — disse.

— Olá — respondi, piscando os olhos.

— Eu sou Josephine.

Eu já deduzira isso. Josephine, a irmã de Sophia, devia ter — calculei — uns 11 ou 12 anos. Era uma criança extremamente feia e se parecia muito com o avô. Pareceu-me que ela tivesse herdado igualmente a sua inteligência.

— Você é o namorado de Sophia — disse Josephine.

Confirmei a afirmação.

— Mas você veio para cá com o inspetor-chefe Taverner. Por que veio para cá com o inspetor-chefe Taverner?

— Porque ele é meu amigo.

— É mesmo? Não gosto dele. Eu não contaria coisas para ele.

— Que tipo de coisas?

— As coisas que eu sei. Sei uma porção de coisas. Eu gosto de saber de coisas.

Ela se sentou no braço de minha cadeira e continuou me examinando com atenção. Comecei a me sentir desconfortável.

— Vovô foi assassinado. Você sabia?

— Sim — disse eu. — Sabia.

— Ele foi envenenado. Com e-se-ri-na — pronunciou a palavra cuidadosamente. — É interessante, não é?

— Creio que sim.

— Eustace e eu estamos muito interessados. Nós gostamos de histórias de detetives. Sempre quis ser detetive. Agora estou sendo uma. Estou recolhendo indícios.

Percebi que se tratava de uma criança um tanto mórbida.

Ela voltou à abordagem.

— O homem que veio com o inspetor Taverner é um detetive também, não é? Nos livros dizem que a gente sempre reconhece um detetive à paisana pelas botas. Mas o tal detetive estava usando sapatos de camurça.

— Os tempos mudaram — disse eu.

Josephine interpretou esse comentário de acordo com suas próprias ideias.

— Sim — disse ela. — Haverá muitas mudanças por aqui, espero. Vamos nos mudar e morar em uma casa em Londres, perto do rio. Há muito tempo que mamãe queria. Ela vai ficar muito alegre. Acho que papai não vai se importar se os livros dele também forem. Antes, ele não podia ir. Perdeu um bocado de dinheiro em *Jezabel*.

— *Jezabel*? — perguntei.

— Você não foi ver, foi?

— Oh, era uma peça. Não, eu não vi. Cheguei de fora.

— Não ficou em cartaz muito tempo. De fato, foi o maior fiasco. Eu não acho que mamãe seja realmente o tipo para interpretar Jezabel, você acha?

Examinei minhas impressões sobre Magda. Nem a mulher do *négligé* pêssego, nem a do traje elegante me passavam a mínima impressão de Jezabel, mas acreditava que devia haver ainda muitas Magdas que eu não conhecia.

— Talvez não — disse eu cauteloso.

— Vovô sempre disse que ia ser um fracasso. Ele disse que não poria um tostão nessas peças históricas sobre religião. Dizia que elas nunca deram sucesso de bilheteria. Mas mamãe estava tremendamente entusiástica. Eu mesmo não gostei. Não estava nem um pouco parecida com a história da Bíblia. Eu quero dizer, Jezabel não estava tão malvada quanto ela é na Bíblia. Ela era muito patriótica e até mesmo muito simpática. Assim ficou chato. Enfim, o final foi bom. Eles a jogaram pela janela. Mas os cachorros não vieram comê-la. Achei que foi uma pena, não acha? A parte de que mais gosto é quando os cachorros vêm comê-la. Mamãe disse que não era possível ter cachorros no palco, mas não vejo por quê. Podiam arranjar cachorros ensinados — recitou a passagem com alegria: — "E eles comeram-na toda, só deixando as palmas de suas mãos." Por que eles não comeram as palmas das mãos?

— Realmente não tenho ideia — disse eu.

— Você acha que esses cachorros eram assim tão especiais? Os nossos não são. Eles comem de tudo.

Josephine ficou meditando sobre esse mistério bíblico por alguns segundos.

— Sinto muito que a peça tenha sido um fracasso — disse eu.

— Sim. Mamãe ficou horrivelmente aborrecida. As críticas eram simplesmente horrorosas. Quando ela as leu, desmanchou-se em lágrimas e chorou o dia inteiro. Jogou a bandeja do café em cima de Gladys, que pediu demissão. Foi muito engraçado.

— Já vi que você gosta de dramas, Josephine.

— Eles fizeram uma autópsia em vovô — disse Josephine. — Para saber de que ele morreu. Um P.M... *post mortem*... eles chamam assim, mas eu acho que faz muita confusão, não acha? Porque P.M. serve também para primeiro-ministro. E para as horas da tarde. — Ela acrescentou, pensativa.

— Você ficou triste porque seu avô morreu? — perguntei.

— Não muito. Eu não gostava muito dele. Não me deixou ser uma bailarina.

— Você queria estudar balé?

— Queria, e mamãe também queria que eu aprendesse; papai não se importava, mas vovô disse que eu não serviria para o balé.

Ela escorregou do braço da poltrona, chutou para o ar os sapatos e esforçou-se para ficar no que tecnicamente chamam, creio, de pontas.

— Você precisa de sapatos adequados — explicou. — E mesmo assim a gente fica às vezes com abscessos horríveis na ponta dos dedos.

Ela recuperou os sapatos e perguntou com casualidade:

— Você gosta desta casa?

— Ainda não tenho certeza — respondi.

— Acho que vai ser vendida agora. A menos que Brenda continue a morar aqui. E acho que o tio Roger e tia Clemency não vão mais viajar para o exterior.

— Eles iam viajar? — perguntei com um ligeiro gesto de interesse.

— Sim. Eles iam embora terça-feira. Para o exterior, um lugar qualquer. Eles iam de avião. Tia Clemency comprou uma dessas valises novas, superleves.

— Eu não tinha ouvido dizer que eles viajariam — disse eu.

— Não — disse Josephine. — Ninguém sabia. Era um segredo. Eles não contariam a ninguém até terem ido embora. Iam deixar um bilhete para o vovô. Mas não ia ficar na almofadinha de alfinetes. Só se faz isso em livros velhos e quando as mulheres deixam os maridos. Agora ia parecer besteira, porque ninguém usa mais almofadinhas de alfinetes.

— É claro que não. Josephine, você sabe por que o seu tio Roger estava... indo embora?

Josephine me deu uma olhada de esguelha muito ardilosa.

— Acho que sei. Tinha alguma coisa que ver com o escritório de tio Roger em Londres. Até acho... mas não tenho certeza... que ele desviou um dinheiro.

— O que a faz pensar assim?

Josephine se aproximou respirando pesadamente sobre meu rosto.

— No dia em que vovô foi assassinado, tio Roger ficou trancado com ele no quarto mais tempo do que de costume. Eles falavam e falavam. E tio Roger estava dizendo que ele nunca prestara mesmo e que ele deixara o vovô na mão... e que não era tanto o dinheiro que importava... era o sentimento de não ter correspondido à confiança. Ele estava péssimo.

Eu olhei para Josephine com sentimentos confusos.

— Josephine, ninguém nunca lhe disse que não é bonito ficar ouvindo por detrás das portas o que os outros falam?

Josephine fez que sim vigorosamente com a cabeça.

— É claro que disseram. Mas, se você quiser descobrir alguma coisa, tem que ficar escutando atrás das portas. Aposto que o inspetor Taverner faz isso, não faz?

Considerei a questão. Josephine continuou com veemência:

— E de todo jeito, se ele não fizer isso, o outro deve fazer, aquele de sapatos de camurça. E eles bisbilhotam nas escrivaninhas das pessoas e leem todas as cartas e descobrem todos os segredos. O único problema é que são burros! Não sabem onde olhar!

Josephine falou com fria superioridade. Eu fui por demais estúpido ao deixar passar a conclusão óbvia. A desagradável criança continuou:

— Eustace e eu sabemos uma porção de coisas... mas eu ainda sei mais que Eustace. E não vou contar para ele. Ele diz que as mulheres não podem ser nunca bons detetives. Mas afirmo que podem, sim. Vou escrever tudo o que sei num caderno, e então, quando a polícia estiver completamente desconcertada, vou dar um passo à frente e dizer: "Eu posso dizer quem foi."

— Você lê muitas histórias de detetives, Josephine?

— Um montão!

— Presumo que você pensa que sabe quem matou seu avô?

— Bem, penso que sim... mas ainda tenho de descobrir mais algumas pistas. — Fez uma pausa e acrescentou: — O inspetor Taverner pensa que foi Brenda, não é? Ou Brenda e Laurence juntos porque eles estão apaixonados um pelo outro.

— Você não devia dizer isso, Josephine.

— Por que não? Eles estão apaixonados um pelo outro.

— Você não pode afirmar isso.

— É claro que posso. Eles se escrevem. Cartas de amor.

— Josephine! Como é que você sabe disso?

— Porque eu li as cartas. Cartas horrivelmente sentimentais. Mas Laurence é um sentimental. Ele teve tanto medo que não foi lutar na guerra. Ficou pelos porões e pôs carvão nas caldeiras. Enquanto as bombas voadoras caíam por aqui, ele ia ficando verde... verde mesmo! Eustace e eu ríamos um bocado.

O que eu teria dito agora, não sei, pois naquele instante um carro parou do lado de fora. Num relâmpago Josephine estava na janela, o nariz arrebitado espremido contra o vidro.

— Quem é? — perguntei.

— É o sr. Gaitskill, o advogado de vovô. Acho que ele veio por causa do testamento.

Respirando animadamente, saiu correndo da sala, certamente para continuar seu trabalho de investigação.

Magda Leonides entrou na sala e, para minha surpresa, veio até onde eu estava e tomou as minhas mãos entre as suas.

— Meu caro — disse ela —, graças a Deus que você ainda está aqui. É tão bom ter um homem por perto!

Ela deixou cair minhas mãos, dirigiu-se a uma cadeira de encosto alto, mudou-a ligeiramente de posição, olhou-se no espelho e, pegando uma pequena caixa esmaltada de cima de uma mesa, pôs-se pensativamente a abri-la e fechá-la.

Era uma pose muito atraente.

Sophia enfiou a cabeça pela porta e disse num sussurro repreensivo:

— Gaitskill!

— Eu sei — disse Magda.

Alguns momentos depois, Sophia entrou na sala acompanhada por um homenzinho pequeno, já idoso, e Magda deixou de lado a sua caixa esmaltada e levantou-se para cumprimentá-lo.

— Bom dia, sra. Philip. Estou indo lá para cima. Parece que há um mal-entendido em relação ao testamento. Seu marido me escreveu dando a impressão de que o testamento estava em meu poder. Ouvi do próprio sr. Leonides que o testamento estava em seu cofre. A senhora sabe de alguma coisa?

— Sobre o testamento do pobrezinho? — Magda arregalou os olhos. — Não, é claro que não. Não me diga que aquela malvada daquela mulher lá de cima destruiu-o?

— Vamos, sra. Philip. — Ele balançou um dedo admoestador para ela. — Não faça conjecturas irrefletidas. É apenas uma questão de saber onde o seu sogro guardava o testamento.

— Mas ele o mandou para o senhor... foi o que ele fez... depois de assiná-lo. Ele mesmo nos disse que fez isso.

— Ouvi dizer que a polícia já examinou os papéis particulares do sr. Leonides — disse o sr. Gaitskill. — Falarei com o inspetor Taverner.

Ele saiu da sala.

— Querida! — gritou Magda. — Ela o destruiu. Sei o que estou dizendo.

— Tolice, mamãe, ela não faria uma estupidez dessas.

— Não seria estupidez nenhuma. Se não houver testamento, ela fica com tudo.

— Pssiuu... Gaitskill está voltando.

O advogado entrou de novo na sala. O inspetor Taverner estava com ele, e atrás de Taverner vinha Philip.

— Ouvi do sr. Leonides — Gaitskill estava dizendo — que ele deixaria o testamento no banco para ficar bem guardado.

Taverner balançou negativamente a cabeça.

— Eu já me comuniquei com o banco. Eles não tinham nenhum papel privado do sr. Leonides, a não ser por algumas ações de que cuidavam para ele.

Philip disse:

— Eu imagino se Roger... ou tia Edith... Sophia, talvez se você pudesse chamá-los aqui um instante?

Mas Roger Leonides, convocado assim como os outros para o conclave, também não pôde dar nenhuma ajuda.

— Mas é bobagem... bobagem absoluta — declarou ele. — Papai assinou o testamento e disse claramente que o poria no correio para o sr. Gaitskill no dia seguinte.

— Se não me falha a memória — disse o sr. Gaitskill, inclinando-se para trás e semicerrando os olhos —, foi no dia 24 de novembro do ano passado que remeti um rascunho feito de acordo com as instruções do sr. Leonides. Ele aprovou o rascunho, devolveu-o para mim e, no tempo devido, eu lhe enviei o testamento para a sua assinatura. No espaço de uma semana, tomei a liberdade de lembrá-lo que ainda não recebera o testamento devidamente assinado com testemunhas e perguntei-lhe se havia alguma cláusula que quisesse alterar. Ele respondeu que estava perfeitamente satisfeito e acrescentou que depois de assinado tinha enviado o testamento para o banco.

— Foi assim mesmo — disse Roger ansioso. — Foi mais ou menos no fim de novembro do ano passado... você se lembra, Philip? Papai nos chamou a todos lá em cima uma noite e leu o testamento para nós.

Taverner voltou-se para Philip Leonides.

— Isso está de acordo com o que o senhor lembra, sr. Leonides?

— Sim — disse Philip.

— É quase como a *Herança de Voysey* — disse Magda, suspirando com prazer. — Eu sempre achei que houvesse algo de dramático nos testamentos.

— Srta. Sophia?

— Sim — disse Sophia —, eu me lembro perfeitamente.

— E quais eram os termos desse testamento? — perguntou Taverner.

Gaitskill ia responder em sua maneira precisa, mas Roger Leonides adiantou-se:

— Era um testamento muito simples. Electra e Joyce já tinham morrido, e a parte que lhes coubera nos outros termos retornara a meu pai. William, o filho de Joyce, foi morto em ação na Birmânia, e o dinheiro dele ficou para seu pai. Philip, eu e as crianças éramos os únicos parentes que lhe restavam. Papai nos explicou isso. Ele deixava cinquenta mil libras livres de impostos para tia Edith, cem mil libras livres de impostos para Brenda, esta casa ou uma outra a ser comprada em Londres para Brenda... o que ela preferisse. O restante seria dividido em três porções: uma para mim, uma para Philip e a terceira a ser dividida entre Sophia, Eustace e Josephine, sendo que a parte destes dois ficaria depositada em juízo até que atingissem a maioridade. Creio que foi assim, não foi, sr. Gaitskill?

— Eram esses, aproximadamente, os termos do documento que preparei — concordou o sr. Gaitskill, demonstrando certo azedume por não lhe terem permitido falar por si próprio.

— Papai leu-o para nós — disse Roger. — Ele perguntou se havia algum comentário que gostaríamos de fazer. É lógico que não havia nenhum.

— Brenda fez um comentário — disse Edith de Haviland.

— Sim — confirmou Magda com picardia. — Ela falou que não aguentava ouvir o seu querido Aristide falar sobre a morte. "Me dá arrepios", ela disse. E que depois que ele morresse, ela não queria saber daquele horrível dinheiro!

— Esse — disse Edith de Haviland — era o protesto convencional, típico da classe dela.

Era um comentário cruel e maldoso. Percebi de repente o quanto Edith de Haviland detestava Brenda.

— Uma maneira muito justa e razoável de dispor de seus bens — disse Gaitskill.

— E depois de ler o testamento, o que aconteceu? — perguntou o inspetor Taverner.

— Depois de ler — disse Roger —, ele o assinou.

Taverner inclinou-se para a frente.

— Como e quando ele o assinou?

Roger olhou para o lado de sua esposa como que pedindo auxílio. Clemency falou em resposta ao olhar. O restante da família parece que ficou satisfeito ao vê-la tomar a palavra.

— O senhor quer saber exatamente como se passou?

— Por favor, sra. Roger.

— Meu sogro pôs o testamento em sua mesa e pediu a um de nós... creio que foi a Roger... que tocasse a campainha. Roger fez o que ele pediu. Quando Johnson veio em resposta, meu sogro pediu que ele fosse buscar Janet Woolmer, a copeira. Quando ambos estavam na sala, ele assinou o testamento e pediu-lhes que assinassem abaixo de seu nome.

— O procedimento correto — disse o sr. Gaitskill. — Um testamento deve ser assinado pelo interessado na presença de duas testemunhas, que devem assinar ao mesmo tempo e no mesmo local.

— E depois? — perguntou Taverner.

— Meu sogro agradeceu-lhes, e eles saíram. Meu sogro pegou o testamento, colocou-o num envelope e mencionou que iria enviá-lo para o sr. Gaitskill no dia seguinte.

— Vocês todos estão de acordo — disse o inspetor Taverner, olhando em torno — que esse relato é aproximadamente o que se passou?

Houve uma série de murmúrios de assentimento.

— O testamento estava sobre a mesa, dizem vocês. A que distância da mesa vocês estavam?

— Não muito perto. Cinco ou seis metros, no mínimo.

— Quando o sr. Leonides leu o testamento, ele próprio estava sentado à mesa?

— Sim.

— Ele se levantou ou deixou a mesa depois de ler o testamento e antes de assiná-lo?

— Não.

— Os empregados puderam ler o testamento enquanto assinavam seus nomes?

— Não. Meu sogro colocou uma folha de papel dobrada sobre a parte de cima do documento — disse Clemency.

— Muito acertado — disse Philip. — Os termos do testamento não eram da conta dos empregados.

— Entendo... — disse Taverner. — E no entanto... não compreendo.

Com um movimento rápido ele tirou do bolso um envelope comprido e inclinou-se para entregá-lo ao advogado.

— Dê uma espiada nisto — disse ele. — E diga-me do que se trata.

Gaitskill tirou um documento dobrado de dentro do envelope. Olhou para ele com acentuado espanto, virando-o diversas vezes entre as mãos.

— Isto — disse ele — é extremamente surpreendente. Eu não compreendo. Onde o senhor o encontrou?

— No cofre. Entre os outros papéis do sr. Leonides.

— Mas o que é isso? — perguntou Roger. — Por que todo esse espanto?

— Este é o testamento que preparei para o seu pai assinar, Roger... mas... eu não entendo que depois de tudo o que vocês disseram... ele não esteja assinado.

— O quê? Bem, presumo que seja apenas um rascunho.

— Não — disse o advogado. — O sr. Leonides me mandou de volta o rascunho original. Foi então que preparei o testamento... este testamento — bateu no papel com os dedos — e enviei-o para que ele o assinasse. De acordo com o testemunho de todos vocês, ele assinou este testamento na frente de todos e também das duas testemunhas que assinaram; entretanto, este papel não está assinado.

— Mas isso é impossível! — exclamou Philip Leonides, falando no tom mais vivo que eu já escutara dele.

Taverner perguntou:

— Como era a vista de seu pai?

— Ele sofria de glaucoma. Usava lentes muito fortes, é claro, para ler.

— Ele estava de óculos naquela noite?

— Claro. Ele não tirou os óculos até depois da assinatura. Vocês concordam?

— Com toda a certeza — disse Clemency.

— E ninguém... vocês estão certos disso?... chegou perto da mesa dele antes que ele assinasse o testamento?

— Estou tentando imaginar — disse Magda, apertando os olhos — se ao menos pudéssemos visualizar tudo outra vez.

— Ninguém esteve perto da mesa — disse Sophia. — E vovô ficou sentado o tempo inteiro.

— A mesa estava na mesma posição em que está agora? Não estava perto de uma porta, de uma janela ou de alguma cortina?

— Estava no mesmo lugar em que se encontra agora.

— Estou tentando ver se alguma substituição pode ter sido efetuada — disse Taverner. — Deve ter havido uma substituição. O sr. Leonides teve a impressão de que estava assinando este documento, que ele acabara de ler em voz alta.

— As assinaturas não poderiam ter sido apagadas? — perguntou Roger.

— Não, sr. Leonides. Elas teriam deixado traços no papel. Há outra possibilidade. Que este aqui não seja o documento enviado pelo sr. Gaitskill para o sr. Leonides e que ele assinou na presença de vocês.

— Pelo contrário — disse Gaitskill. — Eu posso jurar que este é o documento original. Havia uma pequena mancha no papel... no alto à esquerda... que lembrava, por um acaso estranho, um avião. Eu reparei nisso.

A família se entreolhava perplexa.

— Uma circunstância deveras curiosa — disse Gaitskill. — Absolutamente sem precedentes na minha profissão.

— Tudo isso é impossível — disse Roger. — Estávamos todos lá. Simplesmente não pode ter acontecido nada.

Edith de Haviland pigarreou.

— Não adianta vocês ficarem gastando o fôlego dizendo que uma coisa que aconteceu não pode ter acontecido — disse ela. — Em que pé estamos agora? É o que gostaria de saber.

Imediatamente, Gaitskill tornou-se o advogado cauteloso.

— A posição precisará ser examinada muito cuidadosamente. O documento, é lógico, revoga todos os testamentos e documentos anteriores — disse ele. — Há um grande número de testemunhas que viram o sr. Leonides assinar o que ele, em sua boa-fé, pensava ser este testamento. Hum... Muito interessante... Um probleminha jurídico.

Taverner deu uma espiada no relógio.

— Eu sinto muito — disse ele —, mas acho que estou atrasando o almoço de vocês.

— Não quer ficar e almoçar conosco, inspetor? — perguntou Philip.

— Obrigado, sr. Leonides, mas preciso encontrar-me com o dr. Gray em Swinly Dean.

Philip virou-se para o advogado.

— Você almoça conosco, Gaitskill?

— Muito obrigado, Philip.

Todos ficaram de pé. Eu me aproximei discretamente de Sophia.

— Devo ir ou ficar? — murmurei. Parecia ridículo como o título de uma canção vitoriana.

— Ir, eu creio — disse Sophia.

Eu saí de mansinho da sala para alcançar Taverner. Josephine estava se balançando de um lado para outro pendurada na porta que dava para os fundos da casa. Ela parecia estar achando alguma coisa muito engraçada.

— A polícia é idiota — observou ela.

Sophia saiu da sala de visitas.

— O que você estava fazendo, Josephine?

— Ajudando a babá.

— Eu garanto que você estava atrás da porta escondida e ouvindo a conversa.

Josephine fez uma careta para ela e foi-se embora.

— Essa criança — disse Sophia — é um problema.

Capítulo 11

Quando entrei na sala do comissário-assistente da Scotland Yard, Taverner estava acabando de desfiar suas desgraças.

— E aqui estamos — estava dizendo ele. — Virei uma porção deles pelo avesso... e que consegui?... absolutamente nada! Nenhum motivo. Nenhum deles precisando de dinheiro. E a única coisa que conseguimos contra a mulher e seu rapazinho foi que ele lhe lançava olhares melosos quando ela servia o café!

— Vamos, vamos, Taverner — disse eu —, acho que consegui um pouquinho mais do que você.

— Conseguiu mesmo? Muito bem, sr. Charles, o que descobriu?

Eu me sentei, acendi um cigarro, recostei-me na cadeira e observei a audiência.

— Roger Leonides e a mulher estavam planejando uma fuga para o exterior na próxima terça-feira. Roger e o pai tiveram um bate-boca tempestuoso no dia da morte do velho. O velho Leonides descobrira algo errado, e Roger estava admitindo a responsabilidade.

Taverner ficou roxo.

— Com os diabos! Com quem você descobriu isso? — perguntou ele. — Se foi com os empregados...

— Não foi com os empregados. Recebi a informação — disse eu — de um agente particular.

— O que você quer dizer?

— Devo admitir que, de acordo com as regras das melhores histórias de detetives, ele, ou talvez ela... ou seria melhor dizer, essa pessoa... passou a polícia para trás! E penso também — continuei — que o meu detetive particular ainda tem uma porção de cartas escondidas na manga...

Taverner abriu a boca e fechou-a novamente. Ele queria fazer tantas perguntas de uma vez que achou difícil saber por onde começar.

— Roger! — disse ele. — Então Roger... não vale nada, hein?

Senti certa relutância enquanto contava tudo. Eu gostara de Roger Leonides. Lembrava-me de seu quarto confortável e simpático, de seu ar amigável, e me desgostava soltar os cães da polícia atrás dele. Era possível também, é claro, que as informações de Josephine não fossem dignas de crédito, mas eu não pensava assim.

— Então foi a menina que lhe contou? — perguntou Taverner. — Ela parece saber de tudo o que se passa na casa.

Essa informação, é verdade, alterava toda a situação. Se Roger tivesse, como Josephine confiantemente sugerira, "desviado" os fundos da Associação de Fornecedores e, se o velho houvesse descoberto, teria sido vital silenciar o velho Leonides e deixar a Inglaterra antes que a verdade viesse à tona. Possivelmente Roger tornara-se passível de um processo criminal.

Concordamos que um inquérito deveria ser feito sem demora nos negócios da Associação de Fornecedores.

— Vai ser um colapso financeiro monumental, se isso acontecer mesmo — disse meu pai. — É uma empresa imensa. Há milhões envolvidos.

— Se ele estiver mesmo em apuros, isso nos dará o que queremos — disse Taverner. — O papai chama Roger. Roger perde o controle e confessa. Brenda Leonides estava no cinema. Roger só tem de sair do quarto do pai, ir até o banheiro, esvaziar um vidro de insulina e substituí-lo por uma solução forte de eserina e cá estamos! Ou talvez sua esposa é que tenha feito a troca. Ela foi até a outra ala da casa depois que chegou naquele dia... alega que foi procurar um cachimbo que Roger deixara lá. Mas ela pode ter ido até lá dentro para trocar as drogas antes que Brenda chegasse em casa e lhe desse a injeção. Ela me parece fria e calculista o suficiente para fazê-lo.

Concordei com a cabeça.

— Sim, sou capaz de vê-la como a autora da façanha. Ela me parece fria o bastante para fazer qualquer coisa! Não imagino Roger Leonides pensando em veneno como um meio... esse truque da insulina tem algo de feminino!

— Há uma porção de envenenadores homens — disse meu pai secamente.

— Oh, eu sei, senhor — disse Taverner, e acrescentou meio magoado: — Sei bem disso! De qualquer forma, eu não acho que Roger seja desse tipo.

— Pritchard — lembrou-lhe meu velho — enganava muito...

— Digamos que os dois agiram juntos.

— Com um toque de Lady Macbeth — disse meu pai, quando Taverner saiu. — É isso o que o intriga, Charles?

Visualizei a figura graciosa parada em frente à janela naquele quarto austero.

— Não é bem isso — eu disse. — Lady Macbeth era essencialmente uma mulher gananciosa. Eu não creio que Clemency Leonides o seja. Não acredito que ela deseja ou mesmo faça questão de riquezas.

— Mas ela desejaria, desesperadamente, a segurança de seu marido?

— Isso sim. E ela poderia ser certamente... bem... impiedosa.

"Diferentes tipos de crueldade..." Fora isso o que Sophia dissera.

Eu levantei os olhos e vi que meu velho estava me observando.

— Em que você está pensando, Charles?

Mas eu não lhe contei nada.

Fui chamado no dia seguinte e encontrei Taverner e meu pai juntos.

Taverner parecia satisfeito consigo mesmo e ligeiramente animado.

— A Associação de Fornecedores está à beira da falência — disse meu pai.

— Vai por água abaixo a qualquer momento — disse Taverner.

— Soube que houve uma queda violenta das ações na noite passada — disse eu. — Mas parece que eles conseguiram recuperar-se hoje de manhã.

— Investigamos com muita cautela — disse Taverner. — Nenhum inquérito direto. Nada que pudesse causar pânico... ou que deixasse o nosso cavalheiro fujão com a pulga atrás da orelha. Mas temos fontes particulares de informações, e as informações foram muito bem definidas. A Associação de Fornecedores está à beira da falência. Não pode manter de maneira alguma os seus compromissos. A verdade é que parece que está sendo mal administrada há anos.

— Por Roger Leonides?

— Sim. Ele tem o poder supremo, você sabe.

— E ele passou a mão no dinheiro...

— Não — disse Taverner. — Nós não pensamos assim. Para falar com franqueza, ele pode ser um assassino, mas não cremos que seja um vigarista. A verdade é que ele foi apenas... um tolo. Não tem nenhuma capacidade para os negócios. Ele soltava o que devia prender... hesitava na hora em que devia jogar tudo. Delegava poderes a pessoas que deveriam ser as últimas a tê-los. É um tipo de sujeito confiante e confiava nas pessoas erradas. Cada vez e em cada ocasião ele fazia algo errado.

— Há pessoas assim — disse meu pai. — E eles não são realmente idiotas. São apenas maus juízes da natureza humana. E se entusiasmam na ocasião errada.

— Um homem assim não deveria nunca se meter em negócios — disse Taverner.

— Provavelmente ele não se meteria nunca — disse meu pai —, exceto pelo acaso de ser filho de Aristide Leonides.

— O negócio estava indo de vento em popa no mercado quando o velho passou-o às mãos dele. Devia ser uma mina de ouro! A gente pensa que bastava ele ficar sentado e deixar o barco correr sozinho.

— Não — meu pai balançou a cabeça. — Nenhum barco pode correr sozinho. Há sempre decisões a tomar... demitir um homem aqui... contratar um outro lá... pequenas questões de política interna. E com Roger Leonides as respostas parecem ter sido sempre as erradas...

— O senhor tem razão — disse Taverner. — Ele é um sujeito muito leal. Conservava os piores elementos... só porque gostava deles... ou porque já estavam lá há muito tempo. E, às vezes, ele tinha as piores ideias ou as mais absurdas e insistia em executá-las apesar das enormes despesas envolvidas.

— Mas nada criminoso? — insistiu meu pai.

— Não, nada criminoso.

— Então, por que um assassinato? — perguntei.

— Ele pode ter sido um tolo e não um patife — disse Taverner. — Mas o resultado era o mesmo... ou quase o mesmo. A única coisa que poderia salvar a Associação de Fornecedores de uma falência seria uma colossal soma de dinheiro, o mais tardar — ele consultou um livrinho de notas —, o mais tardar até quarta-feira próxima.

— Uma tal soma que ele herdaria... ou pensava que herdaria... pelo testamento de seu pai?

— Exatamente.

— Mas ele não conseguiria arranjar tal soma em dinheiro.

— Não. Mas conseguiria o crédito. Dá no mesmo.

Meu velho balançou a cabeça.

— Não teria sido mais simples ir até o velho Leonides e pedir auxílio? — sugeriu ele.

— Acho que ele fez isso — disse Taverner. — Creio que deve ser isso que a menina escutou. O velho recusou categoricamente, eu imagino, jogar dinheiro fora. Era o que ele faria, vocês sabem.

Presumi que neste ponto Taverner estava certo. Aristide Leonides recusara-se a financiar a peça de Magda — dissera que não seria um êxito de bilheteria. Os fatos provaram que ele tinha razão. Era um homem generoso com a família, mas não era um homem que pusesse dinheiro fora em empreendimentos improfícuos. E a Associação de Fornecedores precisava de milhares ou de centenas de milhares, provavelmente. Ele se recusara categoricamente, e a única maneira de Roger evitar a ruína financeira seria a morte do pai.

Sim, aí havia certamente um bom motivo.

Meu pai olhou para o relógio.

— Eu pedi a ele que viesse aqui — disse. — Deve estar chegando a qualquer minuto.

— Roger?

— Sim.

— Você quer vir à minha casa, perguntou a aranha à mosca? — murmurei eu.

Taverner olhou para mim com ar chocado.

— Devemos dar a ele todas as advertências necessárias — disse ele com severidade.

O palco estava arrumado; a estenodatilógrafa, preparada. Nesse instante a campainha soou, e, alguns minutos depois, Roger Leonides entrou na sala.

Ele chegou ansioso e, um tanto sem jeito, tropeçou numa cadeira. Eu me lembrei, como da primeira vez, de um cachorrão simpático. Foi nesse momento que decidi que não podia ter sido ele quem levara a cabo o processo de troca da eserina no frasco de insulina. Ele teria quebrado o vidro, derramado tudo, ou falhado a operação de uma maneira ou de outra. Não... Clemency deve ter feito a troca, enquanto Roger teria sido conivente no delito.

Ele começou a falar impulsivamente:

— O senhor queria ver-me? Descobriu alguma coisa? Olá, Charles, eu não o tinha visto. Que bom você ter vindo. Mas, por favor, diga-me, Sir Arthur...

Um camarada tão simpático — realmente um camarada muito simpático. Mas muitos assassinos também já foram sujeitos simpáticos — pelo menos é o que diziam mais tarde os seus amigos chocados. Sentindo-me como Judas, eu lhe dei um sorriso de boas-vindas.

Meu pai foi deliberado, frio, oficial. Frases fluentes foram ditas. Declarações... seriam anotadas... não era obrigatório... advogado...

Roger Leonides pôs tudo isso de lado com a mesma impaciência e ansiedade características.

Eu percebi um leve sorriso sardônico no rosto do inspetor Taverner e, por ele, li os seus pensamentos.

"Sempre certos de si, esses caras... Não podem cometer um erro. São mais do que espertos!"

Eu me sentei discretamente em um canto e escutei.

— Eu lhe pedi para vir aqui, sr. Leonides — começou meu pai —, mas não foi para lhe dar novas informações, e sim para lhe pedir uma informação... informação esta que o senhor anteriormente escondeu.

Roger Leonides pareceu confuso.

— Escondi? Mas eu lhe contei tudo... absolutamente tudo!

— Eu penso que não. O senhor teve uma conversa com o falecido na tarde de sua morte?

— Sim, sim, eu tomei chá com ele. Eu lhes contei isso.

— O senhor nos contou isso, mas não falou sobre o assunto da conversa.

— Nós... apenas... conversamos.

— Sobre o quê?

— Acontecimentos do dia, a casa, Sophia...

— E a respeito da Associação de Fornecedores? Mencionaram isso?

Creio que eu estava torcendo para que Josephine tivesse inventado a história toda, mas a esperança foi por água abaixo.

O rosto de Roger transfigurou-se. Mudou de uma expressão de ansiedade para algo facilmente reconhecível como quase desespero.

— Oh, meu Deus! — disse ele e deixou-se cair numa cadeira, afundando o rosto nas mãos.

Taverner sorriu como um gato satisfeito.

— O senhor admite, sr. Leonides, que não foi franco conosco?

— Como vocês souberam disso? Pensei que ninguém soubesse... eu não sei como alguém pôde saber.

— Temos meios de saber de coisas como essas, sr. Leonides — houve uma pausa majestosa. — Acho que o senhor está vendo agora que é melhor nos contar toda a verdade.

— Sim, sim, é claro. Eu vou contar. O que os senhores querem saber?

— É verdade que a Associação de Fornecedores está à beira do colapso?

— Sim. Agora não pode mais ser salva do desastre. A falência está às portas. Se ao menos meu pai tivesse morrido sem saber de nada. Eu me sinto tão envergonhado... tão desgraçado...

— Há possibilidade de instauração de processo?

Roger sentou-se bem ereto.

— Não, de jeito nenhum. Será a falência... mas uma falência honrosa. Os credores serão pagos integralmente se eu lançar mão de meus bens pessoais, o que farei. Não, a desgraça que sinto é a de ter falhado com meu pai. Ele confiou em mim. Passou tudo para mim, o seu maior negócio... a menina de seus olhos. Nunca interferiu, nunca perguntou o que eu estava fazendo. Apenas... confiou em mim... E o deixei na mão...

Meu pai disse secamente:

— O senhor diz que não haverá uma instauração de processo? Então por que o senhor e sua esposa planejavam ir para o exterior sem contar a ninguém a sua intenção?

— O senhor também sabe disso?

— Sim, sr. Leonides.

— Mas não compreendeu? — inclinou-se para a frente, ansioso. — Eu não poderia enfrentá-lo com a verdade. Iria parecer, o senhor pode ver, que eu lhe estava pedindo dinheiro. Como se eu lhe estivesse pedindo para me pôr em pé novamente. Ele... Ele gostava muito de mim. Iria querer ajudar-me. Mas eu não podia... Eu não podia mesmo... Seria outra vez a mesma confusão... Eu não presto para nada. Não tenho nenhuma habilidade. Não sou o homem que meu pai era. Eu sempre soube disso. Tentei, mas não adiantou. Tenho me sentido tão miserável... Deus! O senhor não pode imaginar como tenho me sentido miserável. Tentando sair da enrascada, esperando conseguir safar-me, esperando que o meu velhinho querido não chegasse nunca a saber disso. Mas aconteceu... não havia mais esperança de evitar a queda. Clemency, minha mulher, ela compreendeu, estava de acordo comigo. Nós planejamos tudo. Não dissemos nada a ninguém. Íamos embora. E, depois que a tempestade estourasse, deixaria uma carta para meu pai, contando-lhe tudo. Contando como estava envergonhado e pedindo-lhe que me perdoasse. Ele sempre fora tão bom para mim... o senhor não pode imaginar! Mas teria sido tarde demais para fazer qualquer coisa. Era o que eu queria. Não pedir nada a ele... nem mesmo sonhar em pedir auxílio. Começar outra vez sozinho em qualquer lugar. Viver simples e humildemente. Plantar nossa comida. Café... frutas... Apenas as necessidades essenciais à vida... seria duro para Clemency, mas ela jurou que não se incomodava. Ela foi maravilhosa... simplesmente maravilhosa...

— Compreendo — a voz de meu pai era seca. — E o que o fez mudar de ideia?

— Mudar de ideia?

— Sim. O que o fez decidir-se a falar com seu pai e pedir-lhe para ajudá-lo financeiramente?

Roger olhou para ele.

— Mas eu não fiz isso!

— Vamos, vamos, sr. Leonides!

— O senhor entendeu mal. Eu não fui falar com ele. Foi ele quem me chamou. Ele ouviu falar, não sei como, lá na cidade. Um boato, suponho. Mas ele sabia das coisas. Alguém falou com ele, e ele me apertou. Então, é lógico, eu me abri... Contei-lhe tudo. Disse que não me importava com o dinheiro... era o sentimento de ter falhado quando ele confiou em mim.

Roger engoliu convulsivamente.

— O meu velhinho querido — disse ele. — O senhor não pode imaginar como ele era bom para mim. Nenhuma censura. Apenas bondade. Disse-lhe que não queria ajuda, que preferia não ter ajuda... que preferia mesmo ir embora como havia planejado. Mas ele não me ouviu. Insistiu em me salvar... em levantar outra vez a Associação de Fornecedores.

Taverner disse bruscamente:

— O senhor está querendo fazer-nos crer que o seu pai pretendia auxiliá-lo financeiramente?

— É claro que sim. Ele escreveu para os seus corretores diversos, dando-lhes instruções.

Presumi que ele via a incredulidade no rosto dos dois homens. Ficou vermelho.

— Olhem aqui — disse ele. — Ainda tenho a carta. Era para botar no correio. Mas é claro que depois... com... com o choque e a confusão, eu esqueci. É provável que ela esteja ainda no meu bolso.

Tirou a carteira do bolso e começou a remexê-la. Finalmente encontrou o que queria. Era um envelope dobrado já selado. Estava endereçado, como eu pude ver ao me espichar, aos srs. Greatorex e Hanbury.

— Leiam os senhores mesmos — disse ele — se não acreditam em mim.

Meu pai abriu o envelope. Taverner deu a volta e ficou por detrás. Eu não li a carta nessa ocasião, mas um pouco depois. Instruía os srs. Greatorex e Hanbury a realizarem certos investimentos e pedia a um membro da firma que viesse no dia seguinte receber certas instruções a respeito da Associação de Fornecedores. Algumas delas eram ininteligíveis para mim, mas a sua finalidade era bastante clara. Aristide Leonides estava se preparando para levantar novamente a Associação de Fornecedores.

Taverner disse:

— Nós lhe daremos um recibo por esta carta, sr. Leonides.

Roger aceitou o recibo. Levantou-se e disse:

— É tudo? Os senhores vão examinar tudo, não vão?

Taverner disse:

— O sr. Leonides deu-lhe esta carta, e o senhor foi embora? O que fez então?

— Voltei depressa para a minha parte da casa. Minha mulher acabara de chegar. Eu lhe contei o que meu pai pretendia fazer. Como ele fora maravilhoso! Eu... realmente, eu nem sei o que estava fazendo.

— E seu pai adoeceu... quanto tempo depois?

— Deixe-me ver... meia hora, talvez, ou uma hora... Brenda veio correndo. Ela estava assustada. Disse que ele estava esquisito. Eu... Eu corri de volta. Mas já lhes contei isso tudo.

— Durante a sua visita anterior, o senhor esteve no banheiro ao lado do quarto de seu pai?

— Creio que não. Não... Tenho certeza de que não estive. Mas o senhor não está pensando que eu...

Meu pai reprimiu-lhe a indignação repentina. Levantou-se e abanou as mãos.

— Muito obrigado, sr. Leonides — disse ele. — O senhor nos prestou um grande favor. Mas devia ter nos falado sobre isso antes.

A porta fechou-se atrás de Roger. Eu me levantei e vim olhar a carta que estava sobre a mesa de meu pai.

— Pode ser falsa — disse Taverner esperançoso.

— Pode ser — disse meu pai. — Mas não creio que seja. Acho que devemos aceitá-la como prova. O velho Leonides estava pronto a tirar o filho da enrascada. E isso era mais fácil de ser feito por ele mesmo enquanto estivesse vivo do que por Roger, depois de sua morte... especialmente agora que se descobriu que nenhum testamento apareceu e, em consequência, a parte da herança de Roger está sujeita a controvérsias. Isso significa demoras... e dificuldades. Não, Taverner, Roger Leonides e sua esposa não tinham motivo para querer tirar o velho do caminho. Pelo contrário...

Ele parou e repetiu pensativamente como se uma ideia súbita houvesse lhe ocorrido.

— Pelo contrário...

— O que o senhor está pensando? — perguntou Taverner.

Meu velho falou lentamente.

— Se ao menos Aristide Leonides tivesse vivido mais 24 horas, Roger estaria são e salvo. Mas ele não viveu 24 horas. Morreu de repente e de forma dramática, um pouco mais de uma hora apenas...

— Hum... — disse Taverner. — O senhor acha que alguém em casa gostaria de ver Roger falido? Alguém que tivesse um interesse financeiro contrário a ele? Não me parece muito provável.

— Em que pé ficamos em relação ao testamento? — perguntou meu pai. — Quem vai ficar com o dinheiro de Leonides?

— O senhor sabe como são esses advogados. Não se pode obter uma resposta direta deles. Há um testamento anterior, feito quando ele se casou com a segunda esposa. Este deixa a mesma soma para ela, um pouco menos para Edith de Haviland e o restante para Philip e Roger. Achava que, se este novo testamento não foi assinado, então o primeiro seria válido, mas parece que não é tão fácil assim. A feitura de um novo testamento revoga o anterior, e há testemunhas quanto à sua assinatura e à "intenção do testamentário". Parece que vai haver muita confusão se ele efetivamente morreu sem deixar testamento. Então a viúva aparentemente fica com tudo... ou pelo menos com uma renda pelo resto da vida.

— Então, se o testamento desapareceu, Brenda Leonides é a pessoa que mais lucrou?

— Sim. Se houve fraude, provavelmente ela está por trás de tudo. E obviamente houve fraude, mas não posso imaginar como foi cometida...

Eu também não podia imaginar. Supus que éramos de fato incrivelmente idiotas. Mas estávamos olhando, é claro, pelo ângulo errado.

Capítulo 12

Houve um silêncio breve depois que Taverner saiu. Então falei:
— Papai, como são os assassinos?

Meu velho olhou-me pensativo. Nós nos entendíamos tão bem que ele compreendeu exatamente o que eu tinha na cabeça quando lhe fiz essa pergunta. Respondeu-a com seriedade:
— Sim... — disse ele. — Isso é muito importante agora... muito importante para você... O crime chegou perto de você. Não pode mais olhá-lo pelo lado de fora.

Eu sempre me interessara, de maneira amadorística, por alguns dos "casos" mais espetaculares com que o Departamento de Investigações Criminais lidara, mas, como meu pai dissera, sempre me interessara pelo lado de fora — olhando-os como se estivessem por detrás de uma vitrine. Mas agora, como Sophia percebera bem antes de mim mesmo, o crime tornara-se o fator dominante em minha vida.

Meu velho continuou:
— Não sei se sou a pessoa certa para você fazer essa pergunta. Poderia encaminhá-lo a um par de bons psiquiatras que trabalham para nós. Eles têm tudo dissecado e certinho. Ou Taverner pode dar-lhe as informações de dentro. Mas desconfio de que você queira ouvir o que eu, pessoalmente, como resultado de minhas experiências com assassinos, acho deles.

— É isso o que quero — disse agradecido.

Meu pai traçou um amplo círculo com um dedo sobre a mesa.

— Como são os assassinos? Alguns deles — um leve sorriso melancólico apareceu em seu rosto — foram sujeitos muito simpáticos.

Acho que demonstrei certa surpresa.

— Oh, sim, foram mesmo — disse ele. — Camaradas simples e simpáticos, assim como você e eu... ou como o homem que acabou de sair daqui... Roger Leonides. O assassinato é um crime de amador. Estou falando, é lógico, do tipo de crime em que você está pensando... não em quadrilhas organizadas. A gente muitas vezes sente que esses sujeitos simpáticos foram surpreendidos pelo crime quase acidentalmente. Ou eles estavam na miséria, ou queriam algo com todas as forças, dinheiro ou uma mulher, e mataram para conseguir isso... O freio que age conosco não age com eles. Uma criança, você sabe, transfere o desejo em ação sem nenhum remorso. Uma criança zangada com seu gatinho diz: "Eu mato você" e bate em sua cabeça com um martelo... depois desanda a chorar porque o gatinho não fica vivo outra vez! Uma porção de crianças tenta tirar o bebê do berço para "afogá-lo", porque ele monopoliza atenção... ou interfere em seus prazeres. Elas chegam, muito cedo felizmente, a um estágio em que sabem que isso é "errado", já que são castigadas. Depois, começam a perceber que isso *é* errado. Mas algumas pessoas, penso, permanecem moralmente imaturas. Continuam a considerar que o crime é errado, mas não sentem isso. Eu não penso, com minha experiência, que qualquer assassino tenha realmente sentido remorsos... E isso talvez seja a marca de Caim... Assassinos são classificados à parte, eles são "diferentes"... o crime é errado, mas não para eles, nem quando é "necessário"... a vítima "pediu isso", era a "única maneira".

— O senhor acha — perguntei — que, se alguém odiasse o velho Leonides, mas odiasse mesmo, digamos, há muito tempo, essa seria uma razão?

— Ódio puro? Pouco provável, eu diria — meu pai olhou-me curiosamente. — Quando você diz ódio, imagino que queira dizer uma antipatia extrema. Um ódio ciumento é diferente... ele se forma pela afeição e pela frustração. Constance Kent, diziam todos, gostava muito do irmãozinho menor que matou. Mas ela queria, a gente supõe, a atenção e o amor que ele dividira. Acho que as pessoas matam com mais facilidade aqueles a quem amam do que aqueles a quem odeiam. Possivelmente porque apenas as pessoas que amamos são realmente capazes de nos infernizar a vida.

— Mas isso não o ajuda muito, não é? — continuou ele. — O que você quer, se o interpreto corretamente, é um sinal, algum sinal universal que o ajude a achar o seu assassino entre uma família de pessoas aparentemente normais e agradáveis?

— Sim, é isso mesmo.

— Se há um denominador comum? Eu imagino... Você sabe — ele fez uma pausa para pensar —, se há mesmo, estou inclinado a acreditar que seja a vaidade.

— Vaidade?

— Sim, eu nunca conheci um assassino que não fosse vaidoso... É a vaidade que os conduz à ruína, nove entre dez vezes. Mesmo tendo medo de serem capturados, não conseguem evitar a jactância e o orgulho, geralmente se acham espertos demais para serem descobertos — e acrescentou:

— Há ainda uma coisa, um assassino gosta de falar.

— De falar?

— Sim, você sabe que tendo cometido um crime isso o deixa numa posição de muita solidão. Tem vontade de contar tudo a alguém... mas não pode. E isso o faz querer ainda mais. E assim, se você não puder contar a ninguém o que fez, pode ao menos falar sobre o crime... discuti-lo, apresentar teorias... dissecá-lo.

"Se eu fosse você, Charles, tentaria olhar por esse lado. Ir novamente para lá, misturar-se com eles, fazê-los falar. É claro que não vai ser moleza. Culpados ou inocentes, eles vão ficar contentes de poder conversar com alguém de fora, porque poderão dizer coisas que não poderiam dizer entre si. Mas é possível, creio, que você note uma diferença. Uma pessoa que tem realmente algo a esconder não pode se dar ao luxo de falar nada. Os sujeitos da Inteligência aprendiam isso durante a guerra. Se você fosse capturado, só diria o nome, o posto, a unidade e nada mais. Pessoas que tentam dar informações falsas terminam quase sempre escorregando. Faça aquele povo falar, Charles, e fique atento a um escorregão ou a algum lampejo de culpa."

Contei a ele o que Sophia dissera a respeito da crueldade na família — as diferentes formas de crueldade. Ele ficou muito interessado.

— Sim... — disse ele. — Sua jovem descobriu alguma coisa aí. Quase todas as famílias têm um defeito, um ponto fraco. Muitas pessoas podem ter uma fraqueza, mas a maioria não resiste a duas fraquezas diferentes. É uma coisa engraçada, a hereditariedade. Veja, por exemplo, a crueldade dos De Haviland, e o que poderíamos chamar de falta de escrúpulos dos Leonides... os De Haviland são boa gente porque não são inescrupulosos, e os Leonides também são boa gente porque, apesar de inescrupulosos, são benevolentes. Mas vejamos um descendente de ambos que herdasse os dois defeitos... percebeu aonde eu quero chegar?

Eu não tinha pensado por esse lado. Meu pai falou:

— Mas não preocuparia minha cabeça com hereditariedade se fosse você. É um assunto muito complicado e cheio de problemas. Não, menino, vá para lá e faça-os conversar com você. Sua Sophia está certa sobre uma coisa. Nada, a não ser a verdade, servirá para ela ou para você. Você precisa saber de tudo.

Ele acrescentou quando eu estava saindo:

— E tenha cuidado com a criança.

— Josephine? Não deixar que ela saiba o que estou fazendo?

— Não, eu não quis dizer isso. Eu quis dizer... tomar conta dela. Não queremos que lhe aconteça nada.

Eu olhei para ele.

— Vamos, vamos, Charles. Há um assassino sangue-frio naquela casa. A menina Josephine parece saber de muita coisa ali dentro.

— Ela sabia mesmo de tudo sobre Roger... até chegou à conclusão de que ele era um vigarista. O que contou sobre a conversa que ouviu parece ter sido bastante correto.

— Sim, sim. As evidências de crianças são sempre as melhores que existem. Eu sempre confio nelas. Não servem para nada no tribunal, é claro. Crianças não servem para responder a perguntas diretas. Elas gaguejam ou ficam com cara de bestas e dizem que não sabem de nada. Estão no auge quando querem mostrar-se para alguém. Era isso o que ela estava fazendo. Se mostrando... Você conseguirá saber mais coisas desse jeito. Não fique fazendo perguntas. Finja que acha que ela não sabe de nada. Isso vai encantá-la.

Acrescentou:

— Mas tome conta dela. Talvez saiba mais do que deva para a própria segurança.

Capítulo 13

Eu fui para a Casa Torta (como a chamava em meus pensamentos) com um leve sentimento de culpa. Apesar de ter contado a Taverner as confidências de Josephine sobre Roger, eu não dissera nada sobre a declaração que ela me fizera de que Brenda e Laurence Brown escreviam cartas de amor um para o outro.

Desculpei-me comigo mesmo, considerando que ela estava apenas romanceando e que não havia nenhuma razão para acreditar que fosse verdade. Mas, na realidade, sentia uma estranha relutância em acrescentar mais evidências contra Brenda Leonides. Eu ficara impressionado pelo lado confrangedor de sua posição na casa — rodeada por uma família hostil solidamente unida contra ela. Se tais cartas existissem mesmo, sem dúvida Taverner e seus subordinados iriam encontrá-las. Eu não gostaria de ser o portador de novas suspeitas sobre uma mulher já em posição tão difícil. Além disso, ela me assegurara solenemente que não havia nada dessa natureza entre ela e Laurence Brown, e me sentia mais inclinado a acreditar nela do que naquele gnomo pequeno e malicioso que era Josephine. A própria Brenda não dissera que Josephine "não era muito certa da cabeça"?

Eu sufocara uma certeza constrangida ao imaginar que Josephine não era muito certa. Lembrava-me da inteligência que havia naqueles olhinhos pretos e redondos.

Telefonei para Sophia pedindo-lhe para voltar novamente à sua casa.

— Venha, por favor, Charles.

— Como vão as coisas?

— Eu não sei. Acho que está tudo bem. Eles continuam dando buscas na casa. O que estão procurando?

— Não tenho ideia.

— Estamos ficando todos muito nervosos. Venha logo que puder. Ficarei louca se não tiver com quem falar.

Eu disse que iria imediatamente.

Não havia ninguém à vista quando cheguei à porta da frente. Paguei o táxi, e ele foi embora. Eu não sabia ao certo se devia tocar a campainha ou ir entrando. A porta da frente estava aberta.

Enquanto estava de pé, hesitante, ouvi um leve ruído atrás de mim. Voltei a cabeça vivamente. Josephine, com o rosto parcialmente escondido atrás de uma maçã enorme, estava de pé aparecendo por uma cerca de teixos e olhando para mim.

Quando virei a cabeça, ela também se virou.

— Olá, Josephine.

Ela não respondeu e se escondeu atrás da cerca. Atravessei o caminho e fui atrás dela. Sentara-se num banco rústico e desconfortável perto do laguinho de peixes vermelhos, balançando as pernas para cima e para baixo e dando mordidas na maçã. Por cima da circunferência vermelha seus olhos me olhavam sombrios e com um ar de hostilidade.

— Eu voltei, Josephine.

Era um começo bem pobre, mas estava achando aquele silêncio de Josephine e seu olhar fixo bastante enervantes.

Com um excelente sentido estratégico, ela não respondeu.

— A maçã está gostosa? — perguntei.

Desta vez Josephine condescendeu em responder. Mas a sua resposta consistiu numa só palavra.

— Farinhenta.

— Que pena — disse eu. — Eu não gosto de maçãs farinhentas.

Josephine acrescentou zombeteira:

— Ninguém gosta.

— Por que você não falou comigo quando eu disse "olá"?

— Eu não queria falar.

— Por que não?

Josephine tirou a maçã da boca para fazer a sua acusação com clareza.

— Você foi lá e avisou a polícia — disse ela.

— Oh! — fiquei perplexo. — Você quer dizer... sobre...

— Sobre tio Roger.

— Mas foi tudo bem, Josephine — eu lhe garanti. — Está tudo bem. Eles sabem que ele não fez nada errado, isto é, ele não desviou dinheiro ou nada do gênero.

Josephine lançou-me um olhar desesperado.

— Como você é burro!

— Sinto muito.

— Eu não estava preocupada com tio Roger. E sim porque você não fez direito o seu trabalho de detetive. Não sabe que não se deve nunca falar com a polícia até chegar ao fim?

— Oh, compreendo — eu disse. — E sinto muito, Josephine. Sinto muitíssimo.

— Devia sentir mesmo. — Acrescentou com reprovação: — Eu confiei em você.

Eu disse que senti muito pela terceira vez. Josephine pareceu um tanto mais apaziguada. Deu mais duas dentadas na maçã.

— Mas a polícia iria mesmo saber de tudo — disse eu. — Você... eu... nós não poderíamos guardar esse segredo.

— Você quer dizer porque ele vai à falência?

Como sempre Josephine estava bem informada.

— Acho que vai terminar assim.

— Vão falar sobre isso hoje à noite — disse Josephine. — Papai, mamãe, tio Roger e tia Edith. Tia Edith daria o dinheiro dela, mas ela não recebeu ainda; acho, porém, que papai não daria, não. Ele diz que, se Roger se meteu numa encrenca, a culpa é somente dele e que não adianta pôr dinheiro bom atrás de dinheiro perdido, e mamãe nem quer ouvir falar em dar dinheiro porque ela quer que ele use o dinheiro para financiar Edith Thompson. Você conhece Edith Thompson? Ela era casada, mas não gostava do marido. Estava apaixonada por um moço chamado Bywaters, que saiu de um navio e foi para uma rua diferente depois do teatro, e ela o apunhalou pelas costas.

Fiquei maravilhado outra vez com a competência dos conhecimentos de Josephine, e também pelo senso dramático apenas ligeiramente obscurecido por uns pronomes confusos, com que ela apresentara todos os fatos principais em tão poucas palavras.

— Parece muito bom — continuou Josephine —, mas não acho que a peça vá ser assim. Vai ser como *Jezabel* novamente.

Ela suspirou.

— Eu gostaria de saber por que os cachorros não comeram as palmas das mãos dela.

— Josephine — disse eu —, você me contou que estava quase certa de quem era o assassino.

— Então?

— Quem é?

Ela me olhou com desdém.

— Entendo — eu disse. — Somente no último capítulo? Mesmo se eu prometer não contar nada ao inspetor Taverner?

— Ainda preciso de mais algumas pistas — disse Josephine. — E, além disso — acrescentou ela, jogando o miolo da maçã no laguinho dos peixes vermelhos —, eu não contaria para você. Se você for alguém, você é o Watson.

Engoli esse insulto.

— Muito bem — disse eu. — Eu sou Watson. Mas mesmo a Watson eram fornecidos os dados.

— O quê?

— Os fatos. E então ele fazia deduções erradas sobre os fatos. Não seria divertido para você me ver fazer as deduções erradas?

Por um momento ela quase caiu em tentação. Mas depois balançou a cabeça.

— Não — disse ela e acrescentou: — De qualquer jeito, eu não gosto muito de Sherlock Holmes. Ele está horrivelmente fora de moda. Ainda anda em carruagens.

— E sobre as cartas? — perguntei.
— Que cartas?
— As cartas que você disse que Laurence Brown e Brenda escreviam um para o outro.
— Eu inventei — disse Josephine.
— Eu não acredito em você.
— Eu inventei, sim. Eu sempre invento coisas. Isso me diverte.

Eu olhei para ela. Ela me olhou de volta.
— Olhe aqui, Josephine. Conheço um homem, no Museu Britânico, que sabe um bocado de coisas sobre a Bíblia. Se eu descobrir por que os cachorros não comeram as palmas das mãos de Jezabel, você me fala sobre as cartas?

Desta vez Josephine realmente hesitou.

Em algum lugar um raminho estalou fazendo um barulho seco. Josephine falou numa voz sem expressão:
— Não, eu não falo.

Aceitei a derrota. Um pouco tarde, lembrei-me do aviso de meu pai.
— Muito bem, é mesmo uma brincadeira. É claro que, na realidade, você não sabe mesmo de nada.

Os olhos de Josephine se acenderam, mas ela não engoliu a isca.

Eu me levantei.
— Agora vou — disse eu — procurar Sophia. Venha.
— Eu vou ficar aqui — disse Josephine.
— Não vai, não — eu disse. — Você vem comigo.

Sem cerimônias eu a ergui de pé. Ela pareceu surpresa e pronta para reclamar, mas rendeu-se de muito boa vontade, parcialmente, sem dúvida, porque gostaria de observar a reação da família à minha presença.

Por que estava tão ansioso para que ela me acompanhasse eu não teria sido capaz de dizer naquele momento. Só me veio à cabeça quando passamos pela porta da frente.

Foi porque o raminho estalara.

Capítulo 14

Um murmúrio vinha da grande sala de visitas. Hesitei, mas não entrei. Fiquei andando pelo corredor, e então, guiado por um impulso, empurrei uma porta. O corredor do outro lado era escuro, mas, de repente, outra porta abriu-se mostrando uma cozinha grande e muito clara. No umbral da porta apareceu uma mulher idosa, corpulenta. Usava um avental branco muito limpo amarrado em volta de sua cintura ampla e, desde o instante em que a vi, senti que tudo estava bem. É esse sentimento que uma boa babá sempre nos traz. Eu tinha 35 anos, mas me senti como um garotinho de quatro.

Que eu soubesse, a babá nunca me tinha visto, mas disse logo:

— É o sr. Charles, não é? Venha para a cozinha que lhe darei uma xícara de chá.

Era uma cozinha alegre e feliz. Sentei-me à mesa do centro, e a babá me trouxe uma xícara de chá e dois bolinhos num prato. Eu me senti novamente como se tivesse voltado aos tempos de criança. Tudo ia bem — e os terrores da sala escura e do desconhecido não estavam mais comigo.

— Dona Sophia vai ficar contente porque o senhor veio — disse a babá. — Ela estava ficando nervosa.

Acrescentou em tom de censura.

— Todos estão muito nervosos.

Eu olhei por cima do ombro.

— Onde está Josephine? Ela entrou em casa comigo.

A babá estalou a língua numa evidente censura.

— Escutando atrás das portas ou escrevendo coisas naquele livrinho bobo que ela carrega para todo lado — respondeu. — Ela devia ter ido para a escola para ter crianças da idade dela com quem brincar. Eu disse à dona Edith, e ela está de acordo, mas o patrão dizia que ela estaria melhor em casa.

— Acho que ele gosta muito dela.

— Ele gostava, sim, senhor. Ele gostava muito deles todos.

Olhei-a um tanto surpreso, imaginando por que a afeição de Philip por seus filhos era assim tão definitivamente situada no passado. A babá viu minha expressão e, corando ligeiramente, disse:

— Quando eu falei "o patrão", estava me referindo ao velho sr. Leonides.

Antes que eu pudesse dar-lhe uma resposta, a porta abriu-se num arranco, e Sophia entrou:

— Oh, Charles! — disse ela e acrescentou muito depressa: — Oh, babá, estou tão contente que ele tenha chegado.

— Eu sei que está, querida.

A babá apanhou uma porção de panelas e caldeirões e foi para a copa, fechando a porta ao passar.

Eu me levantei e fui até onde Sophia estava. Pus meus braços em volta dela e apertei-a contra mim.

— Minha querida — disse eu —, você está tremendo. O que foi?

— Estou com medo, Charles. Estou com medo.

— Eu a amo — disse. — Se pudesse levá-la daqui...

Ela afastou-se de mim e balançou a cabeça.

— Não, isso é impossível. Temos de ir até o fim. Mas você sabe, Charles, eu não estou gostando. Não gosto dessa impressão de que alguém... alguém aqui desta casa... alguém que estou vendo e com quem falo todos os dias seja um envenenador frio e calculista...

Eu não soube o que responder. Para alguém como Sophia a gente não consegue dar uma falsa resposta para acalmar.

Ela falou:

— Se ao menos alguém soubesse...
— Isso seria o pior — disse eu.
— Você sabe o que me assusta realmente? — murmurou ela. — É que talvez não saibamos nunca...

Pude imaginar com facilidade o pesadelo que seria... E me parecia altamente provável que talvez nunca soubéssemos a verdade de quem matara o velho Leonides.

Mas isso também me fez lembrar de uma pergunta que queria fazer a Sophia, num ponto que me interessava.

— Diga-me, Sophia, quantas pessoas nesta casa sabiam sobre as gotas de eserina? Quero dizer, quem sabia que seu avô as tinha em seu poder, e quem sabia que elas eram venenosas e qual seria a dose fatal?

— Sei aonde você está querendo chegar, Charles. Mas não vai adiantar. Pense que todos nós sabíamos.

— Bem, sim, vagamente eu suponho, mas especificamente...

— Todos nós sabíamos especificamente. Estávamos todos reunidos com vovô um dia depois do almoço, tomando café. Ele gostava de ter a família a sua volta, sabe. E seus olhos vinham lhe dando uma série de problemas. Brenda trouxe o colírio para pingar uma gota em cada olho, e Josephine, que vive sempre fazendo perguntas sobre tudo, disse: "O que quer dizer: *Colírio — para uso externo* — aí no vidrinho?" E vovô sorriu e disse: "Se Brenda um dia se enganasse e me desse uma injeção de colírio em vez da insulina... eu acho que daria um profundo suspiro, ficaria com o rosto azul e morreria, sabe, porque o meu coração não é muito forte." E Josephine disse: "Oh!", e o vovô continuou: "É por isso que precisamos ter muito cuidado com Brenda para que ela não me dê uma injeção de eserina em vez de insulina, não acha?"

Sophia fez uma pausa e continuou:

— Nós estávamos todos ali escutando. Viu agora? Todos nós ouvimos!

Compreendi. Tivera uma vaga ideia de que apenas um primário conhecimento especializado fosse necessário. Mas agora estava provado que fora o velho Leonides quem havia feito o próprio plano de seu assassinato. O assassino não tivera de pensar em um esquema, nem planejar ou imaginar coisa alguma. Um método simples para causar a morte fora indicado pela própria vítima.

Respirei fundo. Sophia, adivinhando meus pensamentos, disse:

— Sim, foi horrível, não foi?

— Sabe, Sophia? — falei lentamente. — Só há uma coisa que me intriga.

— O quê?

— Que você tem razão e que não pode ter sido Brenda. Ela não podia fazer isso assim da mesma maneira... quando todos vocês tinham ouvido... quando vocês todos se lembravam.

— Eu não posso dizer nada sobre isso. Para certas coisas ela é muito boba, você sabe.

— Mas tão boba assim não — disse eu. — Não, não pode ter sido Brenda.

Sophia afastou-se de mim.

— Você não quer que tenha sido Brenda, não é? — perguntou ela.

O que eu podia dizer? Eu não podia — não, eu não podia mesmo — dizer calmamente: "Sim, eu espero que tenha sido Brenda."

Por que não podia? Apenas a impressão de que Brenda estava sozinha de um lado do campo, e que a animosidade concentrada da poderosa família Leonides estava formada do outro lado do campo contra ela. Cavalheirismo? Uma certa queda pelos mais fracos? Pelos indefesos? Eu me lembrava dela sentada no sofá, em seu luto luxuoso, e a falta de esperança em sua voz — e o medo em seus olhos.

A babá voltou oportunamente da copa. Eu não sei como, mas ela percebeu que havia algo entre nós dois.

Disse com censura:

— Falando sobre crimes e coisas assim. Esqueçam isso, é o que digo. Deixem para a polícia. O problema é deles, e não de vocês.

— Oh, babá, você não está vendo que alguém nesta casa é um assassino?

— Tolice, dona Sophia. Eu não tenho mais paciência com a senhora. A porta da frente não vive aberta o tempo todo? Nada é trancado, todas as portas vivem abertas... chamando ladrões e assaltantes.

— Mas não pode ter sido um ladrão; não roubaram nada. Além disso, por que um ladrão entraria para envenenar alguém?

— Eu não disse que foi um ladrão, dona Sophia. Disse apenas que todas as portas vivem abertas. Qualquer um pode entrar. Se me perguntarem quem foi, garanto que foram os comunistas.

A babá abanou a cabeça de maneira satisfeita.

— Por que os comunistas iriam assassinar o meu pobre avô?

— Bem, todos dizem que eles estão sempre por dentro de tudo o que acontece. Mas se não foram os comunistas, preste atenção ao que digo: então foram os católicos. A Babilônia, a mulher vestida de escarlate, é isso o que eles são.

Com um ar de quem tinha dito a última palavra, a babá desapareceu novamente na copa.

Sophia e eu rimos.

— Uma protestante convicta... — disse eu.

— É sim, não acha? Venha, Charles, venha para a sala de visitas. Há uma espécie de conclave familiar lá. Estava marcado para hoje à noite, mas começou mais cedo.

— É melhor eu não me meter, Sophia.

— Se por acaso você for mesmo fazer parte da família, é melhor que nos veja com as garras de fora.

— E é sobre o quê?

— Os negócios de Roger. Pelo jeito, você também já se meteu neles. Mas está louco se imagina que Roger mataria meu avô. Roger o adorava.

— Eu nunca pensei que tivesse sido o Roger. Pensei que fosse talvez Clemency.

— Só porque lhe pus isso na cabeça. Mas você também está errado aí. Acho que Clemency não se importa de jeito nenhum se Roger perder todo o dinheiro. Acho até que ela ficaria satisfeita. Ela tem uma paixão esquisita por não possuir coisas. Venha.

Quando Sophia e eu entramos na sala de visitas, as vozes que estavam falando calaram-se bruscamente. Todos nos olharam.

Estavam todos ali. Philip sentado numa enorme poltrona vermelha de brocado, entre as janelas, seu rosto bonito transformado numa máscara severa. Parecia um juiz pronto a dar a sentença. Roger estava a cavalo sobre um tamborete estofado perto da lareira. Tinha passado tanto os dedos pelos cabelos que estava todo descabelado. A perna esquerda de sua calça estava arregaçada, e a gravata, de lado. Ele estava vermelho com a discussão. Clemency estava sentada atrás dele, e seu corpo esguio parecia pequeno demais para a enorme cadeira estofada. Ela não olhava para ninguém e parecia estudar os lambris das paredes com um olhar desinteressado. Edith estava sentada num tipo de cadeira do papai, muito espigada. Tricotava com energia incrível, e mantinha os lábios apertados. As coisas mais lindas da sala eram Magda e Eustace. Eles pareciam um retrato de Gainsborough. Estavam sentados juntos no sofá — o rapaz moreno e bonito com uma expressão sombria no rosto e, a seu lado, um braço sobre o encosto, Magda, a duquesa de Três Oitões, num vestido de tafetá e um pezinho pequeno aparecendo num sapato de brocado.

Philip franziu as sobrancelhas.

— Sophia — disse ele. — Sinto muito, mas estamos discutindo problemas familiares de natureza privada.

As agulhas de Edith de Haviland estalaram. Eu me preparei para pedir desculpas e sair. Sophia antecipou-se a mim. A voz dela era clara e determinada.

— Charles e eu — disse ela — pretendemos nos casar. Eu quero que ele esteja presente.

— E por que não haveria de ficar? — gritou Roger, dando um pulo do tamborete com uma energia explosiva. — Não me canso de dizer a Philip que não há nada de particular nisto! O mundo inteiro vai ficar sabendo amanhã ou depois. E de qualquer jeito, meu caro — ele veio até onde eu estava e pôs uma mão amigável em meu ombro —, você já sabe de tudo. Estava lá hoje de manhã.

— Conte-me, por favor — falou Magda, inclinando-se para a frente —, como são as coisas lá na Scotland Yard? A gente fica imaginando. Uma mesa? Uma escrivaninha? Cadeiras? Que tipo de cortinas? Não deve haver flores, eu presumo. Um ditafone?

— Ora, cale-se, mamãe — disse Sophia. — E de qualquer jeito a senhora já falou com Vavasour Jones para cortar aquela cena na Scotland Yard. A senhora mesma disse que era um anticlímax.

— É que faz a peça parecer muito com uma história policial — disse Magda. — *Edith Thompson* é definitivamente um drama psicológico... ou um mistério psicológico... o que você acha que soa melhor?

— Você estava lá hoje de manhã? — Philip perguntou-me secamente. — Por quê? Oh, é claro... seu pai...

Ele franziu as sobrancelhas. Percebi ainda mais claramente que a minha presença ali não era desejada, mas a mão de Sophia apertou-me o braço.

Clemency empurrou uma cadeira para a frente.

— Sente-se — disse ela.

Lancei-lhe um olhar agradecido e aceitei.

— Vocês podem dizer o que bem quiserem — disse Edith de Haviland, aparentemente recomeçando de onde a haviam interrompido —, mas creio que devemos respeitar os desejos de Aristide. Quando esse negócio do testamento se arranjar, na parte que me diz respeito, o meu legado está inteiramente à sua disposição, Roger.

Roger puxou os cabelos com desespero.

— Não, tia Edith, não! — gritou ele.

— Eu gostaria de poder dizer o mesmo — disse Philip —, mas cada um tem de levar cada fator em consideração...

— Mas, meu caro Phil, você não entende? Eu não vou aceitar um tostão de ninguém.

— É claro que não! — retrucou Clemency.

— E de qualquer jeito, Edith — disse Magda —, se esse testamento aparecer, ele terá o seu próprio dinheiro.

— Mas será que vai aparecer a tempo? — perguntou Eustace.

— Você não entende nada disso, Eustace — disse Philip.

— O menino tem toda a razão — gritou Roger. — Ele acertou em cheio. Nada pode impedir a queda. Nada!

Ele falou com uma espécie de contentamento.

— Na verdade não há nada mesmo a discutir — disse Clemency.

— E de qualquer forma — disse Roger —, o que importa?

— Eu pensei que isso importasse em muitas coisas — disse Philip, apertando os lábios.

— Não — disse Roger. — Não! Alguma coisa mais importa agora que papai está morto? Papai está morto! E nós ficamos aqui discutindo problemas de dinheiro!

Um ligeiro rubor apareceu no rosto pálido de Philip.

— Estávamos apenas tentando ajudar — falou com secura.

— Eu sei, Phil, meu velho, eu sei. Mas ninguém pode fazer nada. Então vamos deixar para lá.

— Creio — disse Philip — que talvez possa levantar certa quantia em dinheiro. As minhas ações baixaram um bocado, e uma parte do meu capital está empatado de tal forma que não posso contar com ele: a peça de Magda e mais outras coisas... mas...

Magda disse rapidamente:

— É claro que você não pode levantar esse dinheiro, querido. Seria um absurdo tentar... e não seria justo com as crianças.

— Estou dizendo que não estou pedindo nada a ninguém! — berrou Roger. — Estou rouco de tanto dizer isso. Estou satisfeito com o curso que as coisas estão seguindo.

— É uma questão de prestígio — disse Philip. — De papai. Nosso.

— Não é um negócio de família. Estava inteiramente em minhas mãos.

— Sim — disse Philip, olhando para ele. — Estava inteiramente em suas mãos.

Edith de Haviland levantou-se e disse:

— Acho que já discutimos isso bastante.

Havia na voz dela aquela nota autêntica de autoridade que nunca deixa de produzir efeito.

Philip e Magda levantaram-se. Eustace saiu da sala, e notei a rigidez de seu andar. Ele não era exatamente um aleijado, mas seu andar era defeituoso.

Roger encaixou seu braço no de Philip e disse:

— Você foi um camaradão mesmo, Philip, só de pensar em tal coisa!

Os dois irmãos saíram juntos.

— Que confusão! — murmurou Magda enquanto os seguia. E Sophia disse que ia arrumar a sala.

Edith de Haviland ficou de pé enrolando o seu tricô. Ela olhou para mim, e eu pensei que fosse falar alguma coisa. Havia quase um apelo em seu olhar. Entretanto, ela mudou de ideia, suspirou e saiu atrás dos outros.

Clemency foi até a janela e pôs-se a olhar para o jardim. Eu fui até perto dela. Voltou a cabeça ligeiramente para mim.

— Graças a Deus que tudo acabou — disse, e acrescentou com repugnância: — Que sala horrorosa esta!

— Não gosta dela?

— Não consigo respirar aqui dentro. Há sempre um cheiro de flores meio murchas e de poeira.

Achei que estava sendo injusta com a sala. Mas sabia o que ela queria dizer. Era definitivamente uma sala muito fechada.

Era uma sala feminina, exótica, macia, fechada às intempéries lá de fora. Não era uma peça onde um homem pudesse ser feliz por muito tempo. Não era uma sala onde se pudesse descansar e ler o jornal e fumar um cachimbo com os pés para cima. No entanto, eu a preferia à expressão abstrata de Clemency lá em cima. Na verdade, eu preferia uma sala de estar a um palco.

Ela falou, olhando em torno:

— É somente um palco. Um cenário para Magda representar suas cenas — olhou para mim. — Você reparou, não foi? Reparou no que estávamos fazendo? Ato II: o conclave da família. Magda arranjou tudo. Não significava nada. Não havia nada a falar, nada a discutir. Tudo está decidido, terminado.

Não havia tristeza em sua voz. Quase satisfação. Ela percebeu meu olhar.

— Oh, você não compreende? — falou com impaciência. — Estamos livres... finalmente! Não entende que Roger foi um infeliz... absolutamente infeliz... durante anos? Ele nunca teve jeito para os negócios. Gosta de coisas como cavalos e vacas e de perambular pelos campos. Mas ele adorava o pai... todos o adoravam. É isso o que é errado nesta casa... é familiar demais. Eu não quero dizer que o velho fosse um tirano, ou que os oprimisse ou maltratasse. De jeito nenhum. Ele lhes dava dinheiro e liberdade. Ele era completamente dedicado a eles. E todos eles continuavam a ser dedicados a ele.

— E há algo errado nisso?

— Acho que há. Creio que, quando as crianças crescem, devemos afastar-nos delas, devemos apagar-nos, sumir, forçá-las a se esquecerem de nós.

— Forçá-las? É um tanto drástico, não acha? A coação de uma ou de outra forma não é igualmente prejudicial?

— Se ele não tivesse construído a sua personalidade...

— Ninguém pode construir a sua personalidade — disse eu. — Ele tinha a sua personalidade.

— Pois ele tinha personalidade demais para Roger. Roger adorava-o. Queria fazer tudo que seu pai queria que ele fizesse; queria ser o tipo de filho que seu pai queria que ele fosse. E ele não podia ser isso. O pai deu-lhe a Associação de Fornecedores... era o brinquedo predileto e o orgulho do velho, e Roger tentou com todas as forças seguir as pegadas do pai. Mas ele não tinha aquele tipo de habilidade. Em matéria de negócios Roger é... sim, eu digo francamente... é um tolo. E isso cortou-lhe o coração. Ele foi infeliz durante anos, lutando, vendo tudo ir por água abaixo, tendo repentinas "ideias" maravilhosas e "esquemas" extraordinários que sempre davam errado e pioravam as coisas cada vez mais. É horrível sentir-se fracassado ano após ano. Você não pode calcular como ele tem sido infeliz. Eu posso.

Novamente ela se voltou e me encarou:

— Você pensou, e chegou mesmo a sugerir para a polícia que Roger teria matado o pai... por dinheiro! Você não sabe como... como isso é absolutamente ridículo!

— Agora eu sei — falei com humildade.

— Quando Roger viu que não podia mais se safar, que a falência era iminente, ficou quase que aliviado. Sim, ele ficou mesmo. Só ficou preocupado porque seu pai ia saber... mas não sobre as outras consequências. Ele estava olhando em frente, para a nova vida que íamos levar.

Seu rosto estremeceu levemente, e sua voz tornou-se mais suave.

— Para onde vocês iam? — perguntei.

— Para Barbados. Um primo meu distante morreu há algum tempo e deixou-me um pequeno sítio lá... oh, não é quase nada. Mas pelo menos era um lugar para irmos. Seríamos muito pobres, mas daríamos um jeitinho de viver... custa tão pouco viver simplesmente. Estaríamos juntos... despreocupados, longe deles todos.

Ela suspirou.

— Roger é ridículo às vezes. Ele se preocupa muito comigo... porque sou pobre. Creio que ele adotou demais a atitude da família Leonides em relação ao dinheiro. Quando meu primeiro marido era vivo, éramos horrivelmente pobres. E Roger pensa que eu era muito corajosa e maravilhosa! Ele não consegue imaginar que eu era feliz... realmente feliz! Nunca mais fui feliz como eu era! E, no entanto, nunca amei Richard como amo Roger.

Seus olhos estavam semicerrados. Senti a intensidade de suas emoções.

Ela os abriu, olhou-me e disse:

— Você vê, eu nunca mataria alguém por dinheiro. Eu não gosto de dinheiro.

Eu tive a certeza de que era aquilo mesmo que ela queria dizer. Clemency Leonides era uma dessas raras pessoas que não se sentem atraídas por dinheiro. Elas não gostam do luxo, preferem a austeridade e suspeitam das riquezas.

Entretanto, há alguns para os quais o dinheiro não tem nenhum apelo pessoal, mas que podem ser tentados pelo poder que ele confere.

Eu falei:

— Talvez você não quisesse dinheiro para si mesma... mas, sabiamente dirigido, o dinheiro pode fazer uma série de coisas interessantes. Pode patrocinar pesquisas, por exemplo.

Eu suspeitava talvez de que Clemency fosse uma fanática por seu trabalho, mas ela disse apenas:

— Duvido de que esses patrocínios sirvam para alguma coisa. Eles são em geral usados erroneamente. As coisas que valem mesmo a pena são em geral conseguidas por alguém que tenha entusiasmo e iniciativa... e uma visão natural. Equipamentos dispendiosos, treinamentos e experiências nunca fazem o que se pensa. O seu uso quase sempre cai em mãos erradas.

— Você não se importa em largar o seu trabalho e ir para Barbados? — perguntei. — Vocês vão mesmo, não é?

— Oh, sim, assim que a polícia deixar. Não, eu não me importo em absoluto de largar o meu trabalho. Por que haveria de me importar? Não gostaria de ficar à toa, mas sei que não ficarei à toa em Barbados.

Ela acrescentou impaciente:

— Oh, se ao menos tudo isso pudesse ser logo esclarecido e pudéssemos ir logo embora.

— Clemency — perguntei — você tem alguma ideia de quem fez isso? Considerando que nem você, nem Roger têm nada a ver com a coisa (e realmente não vejo razão para pensar que vocês tenham), certamente, com a sua inteligência, você deve ter alguma ideia de quem possa ter feito?

Ela me lançou um olhar estranho, um olhar de esguelha. Quando falou, sua voz perdera a espontaneidade. Era meio sem jeito, quase encabulada.

— A gente não pode fazer conjecturas, não é científico — disse ela. — Só se pode dizer que Brenda e Laurence são os suspeitos óbvios.

— Então você pensa que foram eles?

Clemency deu de ombros.

Ficou quieta por um instante como se estivesse escutando algo e depois saiu da sala, cruzando com Edith de Haviland ao passar pela porta.

Edith veio direta para o meu lado.

— Eu quero falar com você — disse ela.

As palavras de meu pai vieram à tona. Será que isso...

Mas Edith de Haviland prosseguiu:

— Espero que não tenha ficado com uma impressão errada — disse ela. — Sobre Philip, eu quero dizer. Philip é muito difícil de entender. Ele pode parecer frio e reservado, mas não é tanto assim. É somente uma maneira de ser. Não consegue evitar.

— Eu realmente não pensei... — comecei.

Mas ela continuou:

— Agora mesmo... com Roger. Ele não está realmente de má vontade. Ele nunca foi sovina com dinheiro. E ele é de fato um amor... sempre foi um amor... mas é preciso que o compreendam.

Eu olhei para ela com um ar, espero, de quem está mesmo querendo entender. Ela prosseguiu:

— Em parte, creio, deve ser porque era o segundo da família. Diversas vezes existe alguma coisa em torno do segundo filho... eles já começam em desvantagem. Ele adorava o pai, sabe? É claro, todas as crianças adoravam Aristide, e ele as adorava. Mas Roger era o seu orgulho e a sua alegria principais. Talvez por ter sido o primeiro. E acho que Philip sentia isso. Ele se fechou em si mesmo. Começou a gostar de livros e do passado e de coisas que eram completamente alheias à vida quotidiana. Acho que ele sofreu... crianças sofrem muito...

Ela fez uma pausa e continuou:

— O que queria mesmo dizer, suponho, é que ele sempre teve ciúmes de Roger. Talvez nem ele próprio perceba isso.

Mas penso que o fato de Roger ter se transformado num fracasso... oh, parece tão odioso dizer isto, e realmente tenho certeza de que nem ele próprio o sabe... mas penso que talvez Philip não esteja tão sentido quanto deveria estar.

— A senhora quer dizer que ele está quase satisfeito por Roger ter bancado o tolo.

— Sim — disse Edith de Haviland. — É exatamente o que queria dizer.

Ela acrescentou, franzindo as sobrancelhas:

— Fiquei muito sentida, sabe, de ele não ter oferecido ajuda imediata a seu irmão.

— Por que ele deveria ter ajudado? — disse eu. — Apesar de tudo, Roger fez uma série de confusões. Mas é um homem adulto. Não tem filhos a considerar. Se ele estivesse doente ou mesmo com uma necessidade real, é claro que sua família ajudaria. Mas não tenho a menor dúvida de que Roger na verdade prefere recomeçar inteiramente sozinho.

— Oh, é claro que sim! Ele só se importa com Clemency. E Clemency é uma criatura extraordinária. Ela gosta realmente de se sentir desconfortável e de ter apenas uma xícara barata para tomar chá. É moderna, eu acho. Não dá nenhum valor ao passado, nenhum valor à beleza.

Eu senti seus olhos agudos olhando para mim de cima a baixo.

— Que provação terrível para Sophia — disse ela. — Tenho tanta pena de que a sua juventude possa ser prejudicada por isso. Gosto deles todos, sabe? Roger e Philip, e agora Sophia, Eustace e Josephine. Todas essas crianças queridas... As crianças de Marcia. Sim, eu os quero muito.

Fez uma pausa e acrescentou bruscamente:

— Fique sabendo, é quase uma idolatria...

Ela se voltou rapidamente e saiu. Eu tive a impressão de que ela quisera dizer algo com aquela última frase, mas não entendi o quê.

Capítulo 15

— Seu quarto está pronto — disse Sophia.

Ela estava ao meu lado, olhando para o jardim. Este parecia desolado e cinzento, com as árvores quase desnudas balançando-se ao vento.

Sophia pareceu ler meus pensamentos ao dizer:

— Parece tão desolado...

Enquanto olhávamos, uma figura, e logo depois uma outra, apareceram em meio à da cerca de teixos indo para o jardim de pedras. Ambas pareciam irreais na luz que se apagava.

Brenda Leonides era a primeira. Ela estava envolta num casaco cinzento de chinchila, e havia certo ar felino e furtivo em seus movimentos. No crepúsculo, ela flutuava com uma graça sobrenatural.

Vi seu rosto ao passar pela janela. Havia um meio sorriso nele, aquele mesmo meio sorriso que já notara lá em cima. Alguns minutos depois, Laurence Brown, parecendo ainda mais magro e encolhido, também desapareceu no crepúsculo. Só posso descrever assim a cena. Eles não pareciam duas pessoas andando normalmente, duas pessoas que tivessem saído para dar uma volta. Havia algo irreal neles, como se fossem dois fantasmas.

Fiquei pensando no estalido que ouvira, se fora o pé de Brenda ou o de Laurence.

Por uma associação natural de ideias, perguntei:

— Onde está Josephine?

— Provavelmente com Eustace na sala de aula — franziu o rosto. — Estou preocupada com Eustace, Charles.

— Por quê?

— Ele anda tão amuado e estranho. Mudou muito depois da paralisia. Não consigo imaginar o que passa pela cabeça dele. Às vezes parece que nos odeia a todos.

— Provavelmente ele vai superar tudo. É apenas uma fase.

— Sim, creio que seja. Mas me preocupo muito, Charles.

— Por que, meu coração?

— Na verdade, acho que papai e mamãe nunca se preocupam. Eles não se comportam como um pai e uma mãe.

— Talvez seja melhor para vocês todos. Mais crianças sofrem com o zelo excessivo do que o contrário.

— É verdade. Sabe, nunca pensei nisso até voltar do exterior, mas eles são um casal esquisito. Papai vivendo propositadamente num mundo obscuro de trilhas históricas, e mamãe sempre se divertindo e vivendo suas cenas. Aquela bobagem de hoje à tarde foi ideia de mamãe. Ela queria representar uma cena de uma reunião familiar. Ela se entedia aqui e fica tentando criar um drama.

Por um momento, tive a fantástica visão da mãe de Sophia envenenando o velho sogro de maneira suave, apenas para observar um drama em primeira mão e com ela representando o papel principal.

Um pensamento engraçado! Eu o deixei de lado, mas fiquei um tanto encabulado.

— Mamãe — continuou Sophia — precisa de que tomem conta dela o tempo inteiro. A gente nunca imagina o que ela pretende fazer.

— Esqueça sua família, Sophia — disse eu com firmeza.

— Adoraria, mas no momento é muito difícil. Estava feliz no Cairo porque os esquecera a todos.

Eu me lembrava de que Sophia nunca mencionara seu lar ou seus parentes.

— É por isso que você nunca falava deles? — perguntei. — Porque tinha vontade de esquecê-los?

— Creio que sim. Vivemos sempre, todos nós, agarrados uns com os outros. Nós... Nós gostamos demais uns dos outros. Não somos como essas famílias que se odeiam até a morte. Deve ser horrível, mas quase que é pior vivermos sempre presos por sentimentos de afeição.

Ela acrescentou:

— Acho que é por isso que lhe disse que vivíamos todos juntos numa casa torta. Eu não quis dizer torta num sentido de desonestidade. Creio que quis dizer é que nenhum de nós conseguiu crescer e se tornar independente, responsável, íntegro. Somos um pouquinho tortos e enrolados.

Eu vi Edith de Haviland esmagando uma erva daninha no caminho enquanto Sophia acrescentava:

— Como a jitirana...

De repente, Magda estava conosco — escancarando a porta e dando gritinhos:

— Meus queridos, por que vocês não acendem as luzes? Está quase escuro.

Ela apertou os interruptores, e as luzes se acenderam nas paredes e nas mesas, e ela, Sophia e eu puxamos as pesadas cortinas cor-de-rosa e ficamos naquele interior perfumado de flores. Magda, espichando-se num sofá, falou:

— Que cena incrível, não foi? Como Eustace estava contrariado! Ele me disse que achou aquilo terminantemente indecente! Como esses meninos são engraçados!

Ela suspirou.

— Roger é um amor. Adoro quando ele passa a mão pelos cabelos e começa a chutar as coisas. Não foi um encanto a Edith ter lhe oferecido a sua parte da herança? Ela estava mesmo disposta a fazer isso, sabem? Não foi apenas um gesto. Mas foi terrivelmente idiota. Imagine se Philip quisesse fazer a mesma coisa! É claro que Edith faria qualquer coisa pela família! Há algo quase patético no amor de uma solteirona pelos filhos de sua irmã. Qualquer dia desses vou querer representar um papel de uma dessas devotadas tias solteironas. Indiscreta, obstinada e devotada.

— Deve ter sido muito duro para ela quando sua irmã morreu — disse eu, recusando-me a permitir que a conversa fosse desviada para outro dos papéis das peças de Magda. — Isto é, se ela detestava tanto assim o velho Leonides.

Magda interrompeu-me.

— Detestava-o? Quem lhe disse isso? Tolice. Ela estava apaixonada por ele.

— Mamãe! — disse Sophia.

— Nem tente contradizer-me, Sophia. Naturalmente que, na sua idade, vocês pensam que o amor é somente o de dois jovens bonitões ao luar.

— Ela me disse — disse eu — que sempre o detestara.

— Provavelmente sim, quando veio para cá. Ela estava zangada com a irmã por ter se casado com ele. Eu diria que havia uma espécie de antagonismo... mas ela estava apaixonada mesmo por ele! Queridos, eu sei do que estou falando! É claro que, como irmã da falecida esposa e tudo o mais, ele não podia casar-se com ela, e diria também que ele nunca pensou nisso... e provavelmente ela também não. Ela era bastante feliz tomando conta das crianças e brigando com ele. Mas ela não gostou quando ele se casou com Brenda. Não gostou nem um pouquinho!

— Você e papai também não gostaram — disse Sophia.

— Não, é lógico que não gostamos! Naturalmente! Mas Edith foi quem mais detestou. Querida, o jeito que a vi olhar para Brenda!

— Ora, mamãe — disse Sophia.

Magda dirigiu-lhe um olhar afetuoso e meio de culpa, um olhar de criança mimada e maliciosa.

Ela continuou a falar, sem perceber que mudara completamente de assunto:

— Eu resolvi que Josephine precisa ir para uma escola.

— Josephine? Para uma escola?

— Sim. Para a Suíça. Vou cuidar disso amanhã. Acho que realmente devemos tratar do assunto imediatamente. É péssimo para ela estar presenciando estes momentos horríveis. Está se tornando muito mórbida. Ela precisa ter contato com outras crianças de sua idade. Vida escolar. Eu sempre pensei assim.

— Vovô não queria que ela fosse para a escola — disse Sophia lentamente. — Ele era terminantemente contra.

— O nosso velhinho querido queria que todos ficassem sob suas vistas. Muitas pessoas idosas são assim egoístas. Uma criança deve viver entre outras crianças. E a Suíça é tão saudável, com os esportes de inverno, o ar puro, e tantas coisas mais, comida muito melhor do que a daqui!

— Não será difícil ir para a Suíça agora com as restrições cambiais? — perguntei.

— Tolice, Charles. Há uma espécie de acordo educacional... uma troca com uma criança suíça... há várias formas. Rudolf Alstir está em Lausanne. Vou telegrafar para ele amanhã para arranjar tudo. Poderemos enviá-la já no próximo fim de semana!

Magda desamassou uma almofada, sorriu para nós, foi até a porta, ficou parada um instante olhando para trás de uma maneira encantadora e disse:

— São somente os jovens que importam.

Dito por ela, foi uma deixa adorável.

— Eles sempre vêm em primeiro lugar. E, queridos, lembrem-se das flores, das gencianas azuis, dos narcisos...

— Em novembro? — perguntou Sophia, mas Magda já saíra.

Sophia deu um suspiro exasperado.

— Realmente! — disse ela. — Mamãe deixa a gente desesperada! Ela tem essas manias repentinas, envia centenas de telegramas, e tudo tem de ser arranjado na última hora. Por que Josephine precisa ser mandada para a Suíça assim a toque de caixa?

— Ela tem certa razão nessa ideia de escola. Acho que crianças da idade de Josephine farão muito bem a ela.

— Vovô não pensava assim — disse Sophia obstinada.

Eu fiquei ligeiramente irritado.

— Minha cara Sophia, você acha que um velho de mais de oitenta anos seja o melhor juiz para deliberar sobre o bem-estar de uma criança?

— Ele era o melhor juiz para cada um aqui desta casa.
— Melhor que sua tia Edith?
— Não, talvez não. Ela era a favor da ideia da escola. Admito que Josephine se tornou uma criança difícil... ela tem o péssimo hábito de viver espionando. Mas acho que é porque ela gosta de bancar a detetive.

"Teria sido apenas pelo bem-estar de Josephine que Magda tomara aquela decisão repentina?" Fiquei imaginando. Josephine era surpreendentemente bem informada a respeito dos fatos ocorridos antes do assassinato e que não eram da sua conta. Uma saudável vida escolar, com uma boa quantidade de jogos, certamente lhe faria muito bem. Mas eu me pus a imaginar por que a decisão urgente e repentina de Magda — a Suíça ficava tão longe...

Capítulo 16

Meu velho dissera: "Deixe-os falar".

Enquanto fazia a barba na manhã seguinte, fiquei considerando até onde isso me ajudara.

Edith de Haviland falara comigo — ela me procurara especialmente para isso. Clemency falara comigo (ou fora eu que falara com ela?). Magda num certo sentido falara comigo, isto é, eu fizera parte da plateia de uma de suas encenações. Sophia naturalmente falara comigo. Até mesmo a babá falara comigo. Teria adquirido alguma sabedoria depois de falar com elas? Teria havido alguma frase ou palavra significativa? E mais: teria havido alguma evidência de uma vaidade anormal em que meu pai tanto confiara? Eu não podia ver nada ainda.

A única pessoa que não mostrara absolutamente nenhum desejo de falar comigo, sobre coisa alguma, fora Philip. Não seria de certa maneira anormal? Ele já devia saber agora que eu queria casar com a filha dele. E, no entanto, continuava a proceder como se eu não estivesse na casa. Provavelmente ele se ressentia com a minha presença ali. Edith de Haviland desculpara-se por ele. Ela dissera que era apenas "uma maneira de ser". Demonstrara estar preocupada com Philip. Por quê?

Considerei o pai de Sophia. Ele era em todos os sentidos um indivíduo reprimido. Fora uma criança infeliz e invejosa. Fora forçado a se retrair. Refugiara-se no mundo dos livros — num passado histórico. Aquela frieza e reserva estudadas podiam esconder boa parte dos seus sentimentos mais intensos. A falta de motivos financeiros com a morte do pai era irrefutável — eu não teria pensado nem por um minuto que Philip Leonides pudesse tê-lo matado por querer mais dinheiro do que já tinha. Mas talvez tenha existido outra razão psicológica profunda que o fizesse desejar sua morte. Philip voltara a morar na casa do pai, e mais tarde, devido aos bombardeios, Roger também voltara — e Philip fora obrigado a ver, dia após dia, que Roger ainda era o filho favorito... Poderiam as coisas terem corrido de uma tal maneira em sua mente torturada que o único alívio possível seria a morte do pai? E se essa morte incriminasse o seu irmão mais velho? Roger estava precisando de dinheiro — encontrava-se à beira da falência. Não sabendo nada sobre a última conversa entre Roger e o pai e a oferta deste último para ajudá-lo, não poderia Philip ter pensado que os motivos seriam poderosos o suficiente e que Roger seria imediatamente o suspeito? Estariam as faculdades mentais de Philip tão conturbadas que o levassem ao homicídio?

Cortei o queixo com a navalha e soltei um palavrão.

Que diabos eu estava tentando fazer? Tentando culpar o pai de Sophia pelo crime? Não era das coisas mais simpáticas de minha parte. Pelo menos não era o que Sophia esperava que eu fizesse...

Ou... talvez fosse? Havia algo, sempre houvera algo o tempo todo, por trás do apelo de Sophia. Se houvesse a mais remota suspeita de que seu pai fosse o assassino, então ela jamais concordaria em se casar comigo — no caso de a suspeita ser verdadeira. E, uma vez que ela era arguta e corajosa, preferiria a verdade, já que a incerteza seria uma barreira eterna entre nós. Não tinha ela mesma dito a mim: "Prove-me que essa coisa pavorosa que estou imaginando não é verdadeira — mas, se for mesmo a verdade, então me prove que é verdade — para que eu possa saber o pior e encará-la!"

Será que Edith de Haviland sabia, ou suspeitava, que Philip era o culpado? O que ela quis dizer com aquela "quase idolatria"?

E o que Clemency quis dizer com aquele olhar estranho que me lançou quando perguntei se ela suspeitava de alguém e ela me respondeu: "Laurence e Brenda são os mais prováveis suspeitos, não são?"

A família inteira queria que fossem Brenda e Laurence, ansiava que fossem Brenda e Laurence, mas na realidade não acreditava que fossem Brenda e Laurence...

E, é lógico, a família inteira podia estar errada, e talvez os criminosos fossem mesmo os dois.

Ou talvez fosse Laurence, e não Brenda...

Seria uma solução muito melhor.

Dei mais alguns tapinhas no queixo cortado e desci para o café, determinado a ter uma conversa com Laurence Brown, o mais cedo possível.

Foi somente depois de beber a minha segunda xícara de café que me ocorreu que a Casa Torta estava me atingindo. Eu também queria encontrar a solução que melhor me convinha, e não a certa.

Depois do café, fui até o vestíbulo e subi as escadas. Sophia me dissera que eu encontraria Laurence ensinando a Eustace e Josephine na sala de aulas.

Lá em cima, hesitei em frente à porta de Brenda. Deveria tocar ou bater, ou entrar de uma vez? Decidi tratar a casa como propriedade dos Leonides e não como residência particular de Brenda.

Abri a porta e entrei. Tudo estava silencioso, parecia não haver ninguém. À minha esquerda, a porta que dava para a grande sala de estar estava fechada. À direita, duas portas abertas mostravam um quarto de dormir e um banheiro. Eu sabia que esse banheiro era o que ficava ao lado do quarto de Aristide Leonides, onde a eserina e a insulina eram guardadas. A polícia já terminara de examiná-lo. Empurrei a porta entreaberta e passei. Percebi como teria sido fácil para qualquer pessoa da casa (ou, para ser franco, também para alguém de fora) chegar até o banheiro sem ser visto.

Fiquei um pouco no banheiro examinando-o. Era suntuosamente decorado com azulejos brilhantes e uma banheira embutida no chão. De um lado havia vários aparelhos elétricos:

uma chapa elétrica e uma grelha por baixo de uma chaleira também elétrica, uma pequena frigideira, uma torradeira — tudo de que o criado de quarto de um senhor de idade pudesse precisar. Na parede, um pequeno armário esmaltado. Eu o abri. Dentro estavam utensílios médicos, dois vidros de remédios, um copinho para lavar os olhos, um conta-gotas e alguns vidrinhos rotulados. Aspirinas, bórax em pó, iodo, esparadrapo etc. Numa prateleira separada estavam o estoque de insulina, duas agulhas hipodérmicas e um vidro de éter. Numa terceira prateleira estava um frasco marcado: "Pílulas — uma ou duas à noite conforme a receita." Nessa prateleira, sem dúvida, estivera o vidro de colírio. Tudo era simples, bem-arranjado, fácil para qualquer pessoa pegar o que desejasse. Igualmente fácil para o crime.

Eu podia ter feito o que quisesse com os vidros e depois sair de mansinho outra vez, e ninguém nunca saberia que estivera ali. Tudo isso, é claro, não era novo para mim, mas me permitiu ver como era difícil a tarefa da polícia.

Somente do culpado, ou dos culpados, a gente poderia conseguir algo.

"Provoque-os." Taverner me dissera. "Faça com que saiam da moita. Precisam pensar que sabemos de alguma coisa. Não deixe que se esqueçam de nós. Mais cedo ou mais tarde, se continuarmos assim, nosso criminoso vai sair da inércia e tentar ser ainda mais esperto... e então... nós o pegaremos..."

Bem, até agora o criminoso ainda não reagira a esse tratamento.

Saí do banheiro. Ainda não havia ninguém à vista. Fui até o corredor. Passei pela sala de jantar que ficava à esquerda e pelo quarto e o banheiro de Brenda, à direita. Neste último, uma das empregadas ia e vinha de um lado para o outro. A porta da sala de jantar estava fechada. De uma outra peça mais ao fundo, ouvi a voz de Edith de Haviland falando ao telefone com o habitual peixeiro. Um lanço de escada em espiral levava ao andar de cima. Subi. Ali estavam o quarto de dormir e a salinha de estar de Edith, eu sabia, mais dois banheiros e o quarto de

Laurence Brown. Mais além ainda, outro lance curto de escadas descia para uma sala muito grande construída sobre a área de serviço e que era usada como sala de aula.

Parei do lado de fora da porta. Podia-se ouvir a voz de Laurence Brown, um pouco alterada, vinda lá de dentro.

Acho que o hábito de Josephine de escutar atrás das portas era contagioso. Sem sentir nenhuma vergonha, eu me abaixei até a altura da fechadura e escutei.

Era uma aula de história que estava em curso, e o período em questão era o *Diretório* francês.

Enquanto ouvia, o espanto fez-me arregalar os olhos. Foi uma surpresa considerável para mim descobrir que Laurence Brown era um magnífico professor.

Não sei por que isso me surpreendeu tanto. Apesar de tudo, Aristide Leonides sempre fora um excelente juiz de homens. Apesar de toda a aparência desprezível, Laurence tinha o dom supremo de despertar o entusiasmo e a imaginação de seus alunos. O drama de termidor, o decreto que considerou Robespierre fora da lei, a magnificência de Barras, a lábia de Fouché e Napoleão, um tenentezinho da artilharia que morria de fome — todos estavam ali, vivos e reais.

De repente Laurence parou, fez uma pergunta a Eustace e a Josephine, fez com que eles se pusessem no lugar das personagens do drama. Embora ele não obtivesse muito resultado com Josephine, cuja voz soava como se ela estivesse resfriada, Eustace parecia muito diferente de seu jeito normal. Ele mostrava muita cabeça e inteligência e aquele arguto sentido histórico que sem dúvida herdara de seu pai.

Ouvi então as cadeiras sendo empurradas para trás, arranhando o assoalho. Recuei alguns degraus e parecia que acabava de chegar ali quando a porta se abriu.

Eustace e Josephine saíram.

— Olá — disse eu.

Eustace pareceu surpreso ao me ver.

— Está procurando alguém? — perguntou polidamente.

Josephine, sem ligar para mim, foi embora.

— Eu só queria ver a sala de aula — disse meio sem jeito.

— Você já a viu outro dia, não viu? É mesmo uma sala para criancinhas. Antigamente servia de quarto de brinquedos. Ainda tem uma porção de brinquedos espalhados pelos cantos.

Ele segurou a porta aberta para mim, e entrei.

Laurence Brown estava de pé ao lado da mesa. Olhou-me, corou, murmurou algo em resposta ao meu bom-dia e saiu apressado.

— Você o assustou — disse Eustace. — Ele se amedronta com facilidade.

— Você gosta dele, Eustace?

— Oh! Ele é legal. Mas é meio burro, é claro.

— Mas não é um mau professor.

— Não, para falar com franqueza, ele é mesmo muito interessante. E sabe um bocado de coisas. Faz a gente ver as coisas por um ângulo diferente. Eu nunca soube que Henrique VIII tinha escrito poesias... para Ana Bolena, é lógico... poesia muito bacana.

Conversamos mais um pouco sobre outros assuntos como o *Velho marinheiro*, de Chaucer, as questões políticas por detrás das Cruzadas, a maneira de encarar a vida na época medieval e, para Eustace, a surpresa de saber que Oliver Cromwell proibira a celebração do Natal. Por trás do ar desdenhoso e quase desagradável de Eustace, percebi que havia uma mente curiosa e inteligente.

Logo também comecei a perceber a razão de seu mau humor. Sua doença não fora apenas uma dura prova, fora igualmente uma frustração e um revés em sua vida, logo no momento em que ele começava a usufruí-la.

— Eu estaria terminando o colégio no ano que vem, e então iria para a universidade. É muito chato ter de estudar em casa e com uma criança horrível como Josephine. Imagine, ela só tem 12 anos.

— Eu sei, mas vocês não estudam a mesma coisa, não é?

— Não, é claro que ela não estuda matemática avançada... ou latim. Mas você não gostaria de dividir um professor com uma menina, não é?

Tentei aplacar seu orgulho masculino ferido, fazendo-o ver que Josephine era uma menina bastante inteligente para a sua idade.

— Você acha? Eu a acho muito ingênua. É louca por histórias de detetives, vive enfiando o nariz em todo canto, escrevendo coisas num livrinho preto, e acredita estar descobrindo tudo. Uma menina boba, é o que ela é — disse Eustace muito altivo. — E de qualquer jeito — acrescentou ele —, meninas não podem ser detetives. Eu já disse a ela. Acho que mamãe está muito certa, e quanto mais cedo mandarem Josephine para a Suíça melhor será.

— Você não vai sentir falta dela?

— Sentir falta de uma menina daquela idade? — disse Eustace desdenhoso. — É claro que não. Meu Deus, esta casa é o cúmulo! Mamãe sempre andando para cima e para baixo lá por Londres, chateando uns autores bobocas para que reescrevam as peças para ela, e fazendo confusões incríveis absolutamente por nada. E papai fechado com os livros dele, às vezes nem escutando o que a gente fala com ele. Eu não sei por que tenho de carregar este fardo de ter todos estes parentes... E tio Roger... tão sincero que faz até a gente estremecer... Tia Clemency é legal, não aborrece ninguém, mas às vezes eu penso que ela é um pouquinho maluca. Tia Edith também não é das piores, mas é muito velha. As coisas melhoraram um pouco depois que Sophia voltou... se bem que ela sabia ser muito severa às vezes. Mas é uma família estranha, você não acha? Ter uma madrasta-avó tão moça que podia ser sua tia ou mesmo sua irmã mais velha? Quer dizer, a gente fica se sentindo meio idiota!

Compreendi os seus sentimentos. Lembrava-me (muito vagamente) de minha própria hipersensibilidade na idade de Eustace. O horror que eu tinha de parecer diferente ou de que meus parentes fossem diferentes do normal.

— E seu avô? — perguntei. — Você gostava dele?

Uma expressão curiosa passou pelo rosto de Eustace.

— Vovô — disse ele — era definitivamente antissocial.

— Em que sentido?

— Ele não pensava em nada a não ser em ganhar dinheiro. Laurence diz que isso é completamente errado. E ele era também um grande individualista. Tudo isso tende a desaparecer, você não acha?

— Bem — eu disse bruscamente —, ele desapareceu.

— Uma boa coisa, na verdade — disse Eustace. — Eu não quero soar desumano, mas você não pode mais usufruir a vida naquela idade!

— E ele não usufruía?

— Não poderia. De qualquer forma, já era mesmo hora de ele ir embora. Ele... — Eustace interrompeu-se quando Laurence voltou à sala de aula.

Laurence pôs-se a remexer em alguns livros, mas presumi que ele nos estivesse observando pelo canto do olho.

Olhou para seu relógio de pulso e disse:

— Por favor, esteja de volta às onze horas em ponto, Eustace. Perdemos muito tempo ultimamente.

— Sim, senhor.

Eustace dirigiu-se para a porta e saiu assobiando.

Laurence Brown deu outra olhada furtiva para o meu lado. Passou a língua nos lábios uma ou duas vezes. Eu estava convencido de que ele voltara à sala de aula exclusivamente para falar comigo.

Com efeito, depois de um arrumar e desarrumar de livros absolutamente inútil e um pretenso pretexto de achar um livro que estava faltando, ele falou:

— Ahn... Como é que eles estão indo?

— Eles?

— A polícia.

Torceu o nariz. Um rato numa ratoeira, eu pensei, um rato na ratoeira.

— Eles não me fazem muitas confidências — disse eu.

— Oh, pensei que seu pai fosse o comissário-assistente.

— Ele é, mas naturalmente não revela os segredos oficiais. — Fiz uma voz propositadamente pomposa.

— Então você não sabe como... o que... se... — sua voz sumiu. — Eles não vão deter ninguém, vão?

— Que eu saiba não. Mas, é como digo, talvez eu não saiba.

"Faça com que saiam da moita", o inspetor Taverner dissera. "Provoque-os." Bem, Laurence Brown estava sendo provocado. Começou a falar depressa e com nervosismo.

— Você não sabe como é... a tensão... sem saber como, isto é, eles entram e saem... Fazendo perguntas... perguntas que aparentemente não têm nada a ver com o caso...

Parou. Esperei. Ele queria falar, muito bem, eu devia deixá-lo falar.

— Você estava aqui outro dia quando o inspetor-chefe fez aquela sugestão monstruosa? Sobre a sra. Leonides e eu? Foi monstruoso. Faz a gente se sentir tão indefeso. Não podemos impedir que as pessoas pensem coisas assim de nós! E tudo era maldosamente falso! Apenas porque ela é... era... tantos anos mais nova que seu marido. Há pessoas que têm a mente suja... a mente muito suja... Eu sinto... eu não posso deixar de sentir... que tudo isso é uma conspiração.

— Uma conspiração? Que coisa interessante!

Interessante era, mas não no sentido que ele interpretou.

— A família, você sabe, a família do sr. Leonides nunca teve simpatia por mim. Eles sempre se mantiveram afastados. Eu sempre senti que me desprezavam.

As mãos dele começaram a tremer.

— Só porque eles sempre foram ricos... e poderosos — olhou para mim. — O que eu era para eles? Apenas um professor. Apenas um miserável contestador moral. E minhas contestações eram morais. Eram mesmo!

Eu não disse nada.

— Muito bem! — ele explodiu. — O que tem se eu era... um covarde? Eu tive medo de fazer confusão. Tive medo de que, quando fosse obrigado a puxar o gatilho... eu não fosse capaz de fazê-lo. Como podia ter certeza de que era um nazista que mataria? Podia ser algum rapaz decente... algum rapaz do campo... que não tivesse pendores políticos, apenas chamado para servir à sua pátria. Acho que a guerra é um erro, você compreende? Eu penso que é um erro!

Continuei em silêncio. Achei que silenciar era mais útil que argumentar ou concordar com ele. Laurence Brown estava discutindo consigo mesmo, e revelava uma boa parte de si próprio.

— Todos sempre riram de mim — sua voz estremeceu. — Parece que tenho um quê para fazer papel de ridículo. Não é realmente uma falta de coragem... mas sempre faço as coisas erradas. Entrei numa casa que estava pegando fogo para salvar uma mulher que estava presa lá dentro. Mas me perdi logo na entrada, e a fumaça me fez perder os sentidos, e dei um trabalhão aos bombeiros para me acharem. Eu os ouvi dizer: "Por que esse cabeça-oca não deixa o trabalho para nós?" Não adianta eu tentar, todos são contra mim. Quem quer que tenha assassinado o sr. Leonides arranjou para que eu fosse o suspeito. Alguém o matou só para me desgraçar.

— E quanto à sra. Leonides? — perguntei.

Ele corou. Tornou-se um pouco menos rato e um pouco mais homem.

— A sra. Leonides é um anjo — disse ele —, um anjo. Sua doçura, sua bondade para com o marido idoso eram maravilhosas. Pensar nela em conexão com o veneno é ridículo... ridículo! E aquele cabeça-dura daquele inspetor não é capaz de ver isso!

— Ele tem uma opinião preconcebida — disse eu — pelo número de casos em seus arquivos em que maridos idosos foram envenenados por doces e jovens esposas.

— Um insuportável imbecil! — disse raivoso Laurence Brown.

Ele foi até a estante do canto e começou a remexer nos livros. Presumi que não conseguiria mais nada dele. Saí lentamente da sala.

Ao passar pelo corredor, uma porta à minha esquerda abriu-se, e Josephine quase caiu em cima de mim. Sua entrada fora tão precipitada quanto a entrada de um demônio numa pantomima arcaica.

O rosto e as mãos estavam imundos, e uma enorme teia de aranha flutuava presa à sua orelha esquerda.

— Onde você estava, Josephine?

Olhei atrás da porta entreaberta. Uns dois degraus conduziam a um pátio retangular onde se viam vários tanques grandes.

— Na sala das cisternas.

— Por que estava na sala das cisternas?

Josephine respondeu de maneira muito concisa:

— Para descobrir coisas.

— E que diabo de coisas existem na sala das cisternas para serem descobertas?

Josephine apenas replicou:

— Preciso me limpar.

— Diria que está precisando muito.

Josephine sumiu pela porta do banheiro mais próximo. De lá de dentro olhou para mim e disse:

— Acho que está na hora do próximo assassinato, você não acha?

— O que você quer dizer com... o próximo assassinato?

— Bem, nos livros há sempre um segundo assassinato, mais ou menos nessa hora. Alguém que sabe de alguma coisa é eliminado antes que possa contar o que sabe.

— Você lê histórias de detetives demais, Josephine. Na vida real não é assim. E, se alguém nesta casa sabe de algo, a última coisa que fará será falar sobre isso.

A resposta de Josephine foi meio confusa devido ao jato de água da torneira.

— Às vezes é algo que eles não sabem que sabem.

Pisquei os olhos ao tentar compreender o significado do que ela dissera. E então, deixando Josephine entregue às suas abluções, fui para o andar de baixo.

No instante em que eu estava saindo da porta da escadaria, Brenda apareceu num suave rumor pela porta da sala de visitas.

Ela chegou perto de mim e pousou a mão em meu braço, encarando-me.

— Então? — perguntou.

Era a mesma procura de informações que Laurence demonstrara, apenas formulada de outra forma. E sua única palavra fora mais efetiva.

Eu balancei a cabeça.

— Nada.

Ela soltou um suspiro profundo.

— Estou com tanto medo, Charles — disse ela. — Estou com tanto medo...

O seu medo era mesmo real. Ela me contagiou naquele espaço apertado. Queria tranquilizá-la, ajudá-la. Uma vez mais eu sentia aquele sentimento pungente de sabê-la terrivelmente sozinha naquele ambiente hostil.

Ela poderia igualmente ter gritado: "Quem está a meu lado?"

E qual teria sido a resposta? Laurence Brown? E quem era, afinal de contas, Laurence Brown? Não era um ponto de apoio num momento de tormenta. O lado mais fraco da corda. Eu me lembrava dos dois passeando no jardim na noite anterior.

Queria ajudá-la. Queria ajudá-la com todas as minhas forças. Mas não havia muita coisa que pudesse fazer ou dizer. E tinha no fundo de minha consciência um sentimento de culpa, como se os olhos desdenhosos de Sophia me estivessem espreitando. Eu me lembrava da voz de Sophia dizendo: "Então ela conquistou você."

Sophia não via, nem queria ver, o lado de Brenda na história. Sozinha, suspeita do crime, sem ninguém para ficar a seu lado.

— O inquérito é amanhã. O que... O que vai acontecer?

Nesse ponto eu podia ajudá-la.

— Nada — garanti. — Você não precisa preocupar-se com isso. Será adiado para a polícia continuar com as investigações. Mas vai certamente deixar a imprensa alerta. Que eu saiba, até agora não saiu nada nos jornais que deixasse entrever que a morte não foi natural. Os Leonides ainda têm um bocado de influência. Mas um inquérito adiado... bem, aí a farra vai começar.

(Que coisas esquisitas que a gente diz! A farra! Por que eu tinha de escolher essa palavra?)

— Será que... Será que vai ser muito ruim?

— Eu não daria nenhuma entrevista se fosse você. Sabe, Brenda, você devia arranjar um advogado...

Ela recuou num gesto de horror.

— Não... não é o que você está pensando. Mas alguém que zele pelos seus interesses e a aconselhe como deve proceder, o que deve dizer e fazer e o que não deve dizer ou fazer. — Você sabe — eu acrescentei —, você está sempre muito só.

Sua mão apertou meu braço com mais força.

— Sim — disse ela. — Você compreendeu. Você me tem ajudado, Charles, você me tem ajudado muito...

Eu desci as escadas com um sentimento de calor, de alegria... Foi então que vi Sophia parada em frente à porta principal. Sua voz era fria e bastante seca.

— Você sumiu faz um bom tempo — disse ela. — Ligaram para você de Londres. Seu pai quer falar-lhe.

— Lá na Yard?

— Sim.

— Não imagino o que queiram comigo. Não disseram nada?

Sophia balançou a cabeça negativamente. Seus olhos estavam ansiosos. Puxei-a para mim.

— Não se preocupe, querida. Eu voltarei logo.

Capítulo 17

Havia uma forte tensão na atmosfera do escritório de meu pai. Meu velho estava sentado à sua escrivaninha; o inspetor Taverner, encostado ao batente da janela. Na cadeira destinada aos visitantes estava sentado o sr. Gaitskill, que parecia contrariado.

— ...uma extraordinária falta de confiança — ele estava dizendo acidamente.

— É claro, é claro — meu pai falou apaziguador. — Ah, olá, Charles, você veio depressa. Aconteceu um fato bastante surpreendente.

— Sem precedentes — disse Gaitskill.

Alguma coisa havia visivelmente contrariado o pequeno advogado em seu íntimo. Por trás dele, o inspetor Taverner abriu um sorriso largo para mim.

— E se eu fizesse uma recapitulação? — perguntou meu pai. — O sr. Gaitskill recebeu uma comunicação bastante surpreendente esta manhã, Charles. De um sr. Agrodopolous, proprietário do restaurante Delphos. É um senhor muito idoso, grego de nascimento, e quando era moço foi ajudado e prestigiado por Aristide Leonides. Ele ficou sempre muito agradecido a seu amigo e benfeitor, e, ao que parece, Leonides depositava muita confiança nele.

— Eu nunca pude imaginar que Leonides fosse assim tão desconfiado e de natureza tão reservada — disse Gaitskill. — É claro, ele já estava muito avançado nos anos... praticamente caduco, pode-se dizer.

— A nacionalidade conta — disse meu pai gentilmente. — Sabe, Gaitskill, quando se fica muito idoso o seu pensamento se volta para os dias e para os amigos de sua juventude.

— Mas os negócios de Leonides estão em minhas mãos há mais de quarenta anos — disse Gaitskill. — Quarenta e três anos e seis meses, para ser exato.

Taverner arreganhou novamente os dentes.

— O que aconteceu? — perguntei.

Gaitskill ia abrindo a boca, mas meu pai adiantou-se.

— O sr. Agrodopolous declarou nesta comunicação que estava obedecendo a certas instruções que lhe haviam sido dadas por seu amigo Aristide Leonides. Resumindo, há cerca de um ano, o sr. Leonides confiou-lhe um envelope selado que ele, sr. Agrodopolous, deveria entregar ao sr. Gaitskill imediatamente após a morte do sr. Leonides. No caso de o sr. Agrodopolous morrer primeiro, seu filho, um afilhado do sr. Leonides, deveria executar as mesmas instruções. O sr. Agrodopolous desculpou-se pela demora, mas explicou que ele estivera doente com pneumonia e só soube da morte de seu velho amigo ontem à tarde.

— Tudo isso é muito pouco profissional — disse Gaitskill.

— Quando o sr. Gaitskill abriu o envelope selado e tomou conhecimento de seu conteúdo, decidiu que era seu dever...

— Devido às circunstâncias... — explicou Gaitskill.

— Trazer ao nosso conhecimento os documentos. Eles consistem em um testamento, devidamente assinado com testemunhas, e uma carta explicativa.

— Então afinal o testamento apareceu? — perguntei.

O sr. Gaitskill ficou rubro.

— Não é o mesmo testamento! — berrou ele. — Não foi este o documento que preparei a pedido do sr. Leonides. Este foi escrito com suas próprias mãos, uma coisa muito perigosa para qualquer leigo fazer. Ao que parece, a intenção do sr. Leonides era fazer-me de bobo.

O inspetor Taverner tentou acalmar um pouquinho a amargura reinante.

— Ele era um senhor muito idoso, sr. Gaitskill — disse.
— Eles ficam meio *gagás* quando ficam velhos, o senhor sabe... não chegam a caducar de todo, mas ficam um pouquinho excêntricos.

Gaitskill parecia inconformado.

— O sr. Gaitskill nos telefonou — disse meu pai — e nos fez tomar conhecimento dos termos principais do testamento, e eu lhe pedi que viesse até aqui e trouxesse os documentos com ele. Eu também telefonei para você, Charles.

Não imaginei por que me tinham telefonado. Parecia-me bastante estranho esse procedimento de meu pai e de Taverner. Eu ficaria sabendo mais tarde do testamento, e não era mesmo da minha conta saber o que o velho Leonides tinha feito de seu dinheiro.

— É um testamento diferente? — perguntei. — Quero dizer, ele dispôs de sua fortuna de outra forma?

— Muito diferente — disse Gaitskill.

Meu pai estava olhando para mim. O inspetor Taverner estava tendo muito cuidado para não olhar para mim. Não sei por que, mas comecei a me sentir ligeiramente encabulado...

Algo estava se passando no pensamento deles — e era algo que eu não tinha a mínima ideia do que podia ser.

Olhei inquisitivamente para Gaitskill.

— Não é da minha conta — disse eu —, mas...

Ele me respondeu:

— As disposições testamentárias do sr. Leonides não são, é lógico, secretas — disse ele. — Achei que era meu dever apresentar os fatos às autoridades policiais primeiro e deixar que me guiassem para o meu procedimento seguinte. Creio — fez uma pausa — que há um... certo entendimento, eu diria... entre o senhor e a srta. Sophia Leonides?

— Espero casar-me com ela — disse —, porém ela não deseja um noivado neste momento.

— Muito adequado — disse Gaitskill.

Eu não concordava com ele. Mas não era o momento para discutirmos isso.

— Por este testamento — continuou Gaitskill —, datado de 29 de novembro do ano passado, o sr. Leonides, após um dote de 150 mil libras para sua esposa, deixa a sua fortuna inteira, real e pessoal, exclusivamente para sua neta Sophia Katherine Leonides.

Quase me engasguei. Fosse o que fosse o que estava esperando, não era absolutamente isso.

— Ele deixou tudo para Sophia! — exclamei. — Que coisa extraordinária! Alguma razão?

— Ele explicou suas razões com muita clareza na carta anexa — disse meu pai, e pegou uma folha de papel que estava à sua frente na escrivaninha. — O senhor não tem nenhuma objeção quanto a Charles ler isto, sr. Gaitskill?

— Eu me pus em suas mãos — disse Gaitskill com frieza.

— A carta pelo menos oferece uma explicação... e possivelmente (se bem que eu tenha minhas dúvidas quanto a isto) uma desculpa para a extraordinária conduta do sr. Leonides.

Meu velho me entregou a carta. Estava escrita numa letrinha intricada com uma tinta muito preta. O talhe da letra demonstrava caráter e individualidade; não era absolutamente a letra de um velho — exceto talvez pelo desenho caprichoso das letras, característico dos tempos antigos, quando a escrita era algo dificilmente adquirido e devidamente valorizado.

Dizia:

Caro Gaitskill:

Você ficará surpreso ao receber esta carta, e provavelmente ofendido. Mas tenho minhas próprias razões para proceder de uma forma que para você talvez pareça desnecessariamente secreta. Eu sempre fui uma pessoa que acredita na individualidade. Numa família (isto observei durante a minha infância e nunca esqueci), há sempre um caráter mais forte, e geralmente cabe a essa pessoa zelar e ter a responsabilidade de tomar conta da família. Na minha família, eu fui tal pessoa. Vim para Londres, ali me estabeleci, sustentei minha mãe e meus avós idosos em Esmirna, livrei um de meus irmãos das garras da lei, assegurei a liberdade de minha irmã, salvando-a de um casamento infeliz, e muitas coisas assim. Deus foi generoso comigo concedendo-me uma vida longa, e pude zelar e cuidar de meus filhos e dos filhos de meus filhos. Muitos me foram levados pela morte; os outros, e sou feliz ao dizê-lo, estão sob o meu teto. Quando eu morrer, a responsabilidade que tenho deverá recair sobre outra pessoa. Refleti muito pensando em dividir minha fortuna igualmente entre todos os meus entes queridos — mas, fazendo isso, não estaria sendo justo com todos. Os homens nascem diferentes uns dos outros. Para compensar a desigualdade natural da Natureza, precisamos endireitar a balança. Em outras palavras, alguém deveria ser o meu sucessor, deveria tomar sobre os ombros o cargo de responsabilidade pelo resto da família. Depois de uma observação cuidadosa, cheguei à conclusão de que nenhum de meus filhos poderia arcar com tal responsabilidade. Meu muito querido filho Roger não tem nenhum jeito para os negócios, e, ainda que seja de uma natureza muito amável, é impulsivo demais para poder julgar os outros. Meu filho Philip é muito inseguro de si mesmo e não é capaz de fazer nada a não ser se encolher perante a vida. Eustace, meu neto, ainda é jovem demais, e não creio que tenha as qualidades de percepção e julgamento necessárias. Ele é indolente e facilmente influenciável pelas ideias da primeira pessoa que encontra. Apenas minha neta Sophia me parece ter as qualidades positivas requeridas. Ela tem cabeça, julgamento, coragem, a mente livre de preconceitos e, penso, generosidade de espírito. A ela confio o bem-estar da família — e o bem-estar de minha querida cunhada Edith de Haviland, pela devoção de toda a vida à minha família e a qual agradeço de todo o coração. Isso explica o documento anexo. O que será difícil de explicar — ou seja, difícil de explicar a você — é o ardil que empreguei. Achei que não devia levantar nenhuma especulação sobre a disposição de minha fortuna e não tenho a intenção de deixar que minha família saiba que Sophia será a minha herdeira. Uma vez que meus dois filhos já possuem consideráveis fortunas, não creio que as minhas disposições testamentárias os coloquem numa posição humilhante.

Para abafar a curiosidade e a suspeita, eu lhe pedi que me preparasse um testamento. Esse testamento eu leria para toda a família reunida. Poria esse testamento sobre a minha mesa, colocaria uma folha de papel sobre ele e pediria que fossem chamados dois empregados. Quando eles chegassem, eu escorregaria a folha de papel mata-borrão sobre o documento, assinaria meu nome e pediria a eles que assinassem também. Não tenho necessidade de acrescentar que o testamento que eu e eles havíamos assinado seria o testamento que agora anexo a esta carta e não o que você preparara e que eu lera em voz alta.

Não espero que você compreenda o que me levou a executar tal coisa. Eu lhe pedirei apenas que me perdoe por deixá-lo às escuras. Um velho homem gosta de guardar seus segredos.

Obrigado, meu velho amigo, pela assiduidade que sempre dedicou aos meus negócios. Transmita a Sophia o meu amor. Peça-lhe que vele pelo bem da família e proteja-a de todos os males.

Seu amigo sincero,
Aristide Leonides.

Li este estranho documento com imenso interesse.

— Extraordinário! — exclamei.

— Extremamente extraordinário — disse Gaitskill, levantando-se. — Eu repito, penso que meu velho amigo Leonides devia ter confiado em mim.

— Não, Gaitskill — disse meu pai. — Ele era um trapaceiro nato. Gostava, eu diria, de fazer as coisas sempre meio fora da lei.

— Isso mesmo, senhor — disse o inspetor Taverner. — Se havia um grande trapaceiro neste mundo, era ele — acrescentou com convicção.

Gaitskill saiu altivamente sem se acalmar. Ele fora ferido no mais profundo âmago de seus sentimentos profissionais.

— Ele foi duramente golpeado — disse Taverner. — É uma firma muito respeitável, a Gaitskill, Callum & Gaitskill. Com eles não se fazem trapaças. Quando o velho Leonides fazia uma transação duvidosa, ele nunca a fazia através da Gaitskill, Callum & Gaitskill. Ele tinha uma meia dúzia de firmas de advocacia diferentes que atuavam para eles. Oh, como ele trapaceava!

— E nunca o provou tanto como quando fez este testamento — disse meu pai.

— Fomos uns tolos — disse Taverner. — Pensando melhor, a única pessoa que podia ter feito algum truque com o testamento era o próprio velho. Só que a ideia nunca nos ocorreu!

Eu me lembrei do sorriso superior de Josephine ao dizer:

— "A polícia é idiota!"

Mas Josephine não estivera presente no momento da assinatura do testamento. E mesmo que ela estivesse do lado de fora da porta escutando (o que eu estava certo de ter acontecido), ela dificilmente poderia adivinhar o que o avô estava fazendo. O que ela sabia que a fizera dizer que a polícia era idiota? Ou será que ela estaria apenas se exibindo novamente?

Surpreso pelo silêncio que havia na sala, levantei os olhos rapidamente — ambos, meu pai e Taverner, me observavam. Não sei o que havia neles que me obrigou a deixar escapar um desafio:

— Sophia não sabia de nada sobre isso! Absolutamente nada!

— Não? — disse meu pai.

Fiquei sem saber se ele estava concordando ou se perguntara algo.

— Ela ficará absolutamente estarrecida!

— Será?

— Estarrecida!

Houve uma pausa. Então, numa dissonância repentina, o telefone da mesa de meu pai soou.

— Sim? — Ele ergueu o receptor, escutou e disse: — Pode ligar.

Olhou para mim.

— É a sua jovem — disse ele. — Ela quer falar conosco. É urgente.

Eu peguei o aparelho de suas mãos.

— Sophia?

— Charles? É você? É... Josephine! — a voz dela estremeceu ligeiramente.

— O que houve com Josephine?

— Ela foi ferida na cabeça. Concussão. Ela... Ela está muito mal... Estão dizendo que talvez não recobre a consciência...

Eu me virei para os dois.

— Josephine foi golpeada — eu disse.

Meu pai pegou o aparelho de minha mão. Disse secamente para mim:

— Eu lhe disse para ficar de olho naquela criança...

Capítulo 18

Sem perda de tempo, Taverner e eu estávamos correndo num veloz carro da polícia em direção a Swinly Dean. Lembrei-me de Josephine, saindo do pátio das cisternas e de seu comentário frívolo de que "estava na hora do segundo crime". A pobre criança não tinha ideia de que seria ela a vítima do "segundo crime".

Aceitei plenamente a reprimenda que meu pai tacitamente me deu. É claro que devia ter ficado de olho em Josephine. Apesar de nem eu, nem Taverner termos a mínima pista quanto ao envenenador do sr. Leonides, era bastante possível que Josephine tivesse. O que eu tomara por uma tolice infantil e "exibição" poderia muito bem ser algo diferente. Josephine, praticando o seu esporte favorito de espionar e bisbilhotar, poderia ter ficado de posse de alguma informação a que talvez nem ela própria houvesse atribuído o valor devido.

Lembrei-me do raminho que estalara no jardim.

Eu tivera o pressentimento de que o perigo estava por perto. Agi assim naquele instante, mas, depois, minhas suspeitas me pareceram melodramáticas e irreais. Pelo contrário, deveria ter imaginado que houvera um crime, e quem o tivesse cometido pusera o seu pescoço em perigo, e consequentemente essa mesma pessoa não hesitaria em repetir o crime se assim a sua segurança fosse garantida.

Talvez Magda, por algum obscuro instinto materno, percebesse que Josephine estava em perigo, e talvez tenha sido esse o motivo de sua febril e súbita impetuosidade de enviar a criança para a Suíça.

Sophia veio à porta para nos receber. Josephine, disse ela, fora levada de ambulância para o Hospital Geral de Market Basing. O dr. Gray informaria o mais rápido possível sobre o resultado das radiografias.

— Como aconteceu? — perguntou Taverner.

Sophia guiou-nos até os fundos da casa, e por uma porta entramos num pequeno pátio abandonado. Em um canto havia outra porta entreaberta.

— Era uma espécie de lavanderia — explicou Sophia. — Há um buraco para o gato passar na parte de baixo da porta, e Josephine costumava pendurar-se nela e balançar para frente e para trás.

Lembrei-me de que também gostava de balançar nas portas na minha infância.

A lavanderia era pequena e bastante escura. Havia alguns caixotes de madeira, uma mangueira velha, alguns instrumentos de jardinagem abandonados e uns móveis quebrados. Ao lado da porta, havia um leão de mármore que servia de calço para portas.

— É o calço da porta da frente — explicou Sophia. — Deve ter sido posicionado no alto da porta.

Taverner passou a mão por cima da porta. Era uma porta baixa, a parte de cima ficava apenas a uns trinta centímetros acima de sua cabeça.

— Uma armadilha — disse ele.

Balançou a porta, experimentando-a para um lado e para outro. Depois, inclinou-se sobre o bloco de mármore, mas não o tocou.

— Alguém mexeu nele?

— Não — disse Sophia. — Eu não deixaria que ninguém o tocasse.

— Muito bem. Quem a encontrou?

— Fui eu. Ela não apareceu para almoçar à uma da tarde. A babá estava chamando. Ela passara pela cozinha e fora para o pátio das estrebarias mais ou menos uns 15 minutos antes. A babá me dissera: "Ela deve estar se balançando novamente naquela porta", e eu vim aqui buscá-la.

Sophia fez uma pausa.

— Ela tinha o hábito de brincar assim, você disse? Quem sabia disso?

Sophia deu de ombros.

— Acho que todos aqui em casa.

— Quem mais usa esta lavanderia? Jardineiros?

— Quase ninguém põe os pés aqui.

— E este pequeno pátio não é visto da casa — resumiu Taverner. — Qualquer um poderia ter saído de casa ou dado a volta pela frente e preparado a armadilha. Mas seria arriscado...

Ele parou, olhando para a porta, e balançou-a levemente de um lado para outro.

— Não se podia ter certeza. Acertar ou errar. E era mais provável errar do que acertar. Mas ela não teve sorte. Com ela foi acertar.

Sophia estremeceu.

Ele olhou para o chão. Havia várias marcas no solo.

— Parece que alguém andou experimentando antes... para ver como cairia... O barulho não chegaria até a casa?

— Não, nós não ouvimos nada. Não tínhamos ideia de que havia algo de errado até que vim aqui e a encontrei deitada de bruços... estatelada. — A voz de Sophia tremeu em pouco. — Havia sangue em seus cabelos.

— Este lenço é dela? — Taverner apontou para um cachecol de lã xadrez no chão.

— Sim.

Usando o cachecol, ele pegou o bloco de mármore cuidadosamente.

— Pode ser que tenha impressões digitais — disse ele, falando com pouca esperança. — Mas creio que quem quer que tenha feito isso foi... cuidadoso.

Virou-se para mim:

— O que você está olhando?

Eu estava olhando para uma cadeira de cozinha com o encosto quebrado que estava entre as coisas abandonadas. No assento havia algumas marcas de terra...

— Curioso — disse Taverner. — Alguém ficou de pé nesta cadeira com os pés enlameados. Por que razão?

Ele balançou a cabeça.

— Que horas eram quando a encontrou, srta. Leonides?

— Devia ser uma e cinco da tarde.

— E a sua babá a viu saindo vinte minutos antes. Qual foi a última pessoa que esteve na lavanderia antes disso?

— Não tenho ideia. Provavelmente a própria Josephine. Ela estava se balançando na porta esta manhã depois do café, tenho certeza.

Taverner concordou com a cabeça.

— Então entre esse momento e 12h45 alguém preparou a armadilha. A senhorita disse que este pedaço de mármore serve de calço para a porta da entrada? Tem ideia de quando deu falta dele?

Sophia balançou negativamente a cabeça.

— A porta não ficou aberta durante o dia. Fez muito frio.

— Tem alguma ideia de onde estavam as pessoas da casa hoje de manhã?

— Eu saí para dar um passeio. Eustace e Josephine tiveram aulas até 12h30, com uma pausa às 10h30. Papai, penso, esteve na biblioteca a manhã inteira.

— Sua mãe?

— Ela estava saindo do quarto de dormir quando voltei do passeio... devia ser 12h15. Ela não se levanta muito cedo.

Entramos na casa outra vez. Segui Sophia até a biblioteca. Philip, muito pálido e ansioso, estava sentado na cadeira de costume.

Magda, encolhida sobre seus joelhos, chorava baixinho. Sophia perguntou:

— Eles já telefonaram do hospital?

Philip abanou a cabeça.

Magda soluçou:

— Por que não me deixaram ir com ela? Meu bebezinho... meu bebezinho feio e engraçado. Eu gostava de brincar com ela dizendo que tinha sido trocada pelas fadas, e ela ficava furiosa. Como pude ser tão cruel? E agora ela vai morrer... Eu sei que ela vai morrer!

— Vamos, meu bem — disse Philip. — Tenha calma.

Senti que não havia lugar para mim naquela cena familiar de ansiedade e desespero. Saí mansamente e fui procurar a babá. Ela estava sentada na cozinha chorando baixinho.

— É um castigo para mim, sr. Charles, pelas coisas horríveis que estava pensando. Um castigo, é isso que é.

Não tentei decifrar o seu significado.

— Há maldade nesta casa. É isso que há. Eu não queria ver nem acreditar. Mas só vendo para crer. Alguém matou o patrão e esse mesmo alguém tentou matar Josephine.

— Por que será que tentaram matar Josephine?

A babá puxou um canto do lenço que lhe cobria o rosto e me deu uma olhada perspicaz.

— O senhor sabe muito bem como ela é, sr. Charles. Ela gosta de saber de tudo. Ela sempre foi assim, mesmo quando era um tiquinho de gente. Costumava esconder-se embaixo da mesa de jantar e ouvir o que as criadas falavam, depois fazia chantagem com elas. Fazia com que ela se sentisse importante. Sabe? Ela foi muito abandonada pela patroa. Não era uma criança bonita como as outras duas. Sempre foi uma menininha feia. Uma bruxinha, a patroa costumava chamá-la. Eu sempre culpei a patroa por isso, pois acho que tal atitude deixa as crianças amargas. Mas de uma forma engraçada ela se vingava descobrindo coisas sobre as pessoas e deixando que elas soubessem que ela sabia. Mas isso não é algo que se faça quando há um envenenador por aí!

Não, não era algo que se faça! E isso me trouxe outra coisa à cabeça. Perguntei à babá:

— Você sabe onde ela guarda um livrinho preto... um livrinho de notas onde ela costuma escrever as coisas que descobre?

— Eu sei o que o senhor quer dizer, sr. Charles. Ela é muito manhosa, sabe? Eu a via mordendo a ponta do lápis e escrevendo no livrinho e mordendo outra vez o lápis. "Não faça isso", eu dizia, "você vai se envenenar com o chumbo." Ela dizia: "Não, eu não vou, não, porque não é chumbo que tem no lápis, é grafite." Eu não sei, não, pois se chamamos um lápis de ponta de chumbo é porque deve haver chumbo nele.

— Você pensa que é assim — concordei —, mas na verdade ela tinha razão. — (Josephine sempre tinha razão!) — E quanto ao livrinho? Você sabe onde ela costuma guardá-lo?

— Não tenho ideia, senhor. É outra das coisas em que ela é ardilosa.

— Não estava com ela quando foi encontrada?

— Oh, não, sr. Charles, não havia nenhum livro.

Será que alguém pegara o livrinho? Ou talvez ela o escondera em seu quarto? Tive a ideia de ir procurá-lo lá. Eu não tinha certeza de qual era o quarto de Josephine, mas hesitei ao ouvir a voz de Taverner me chamando do corredor.

— Venha cá — disse ele. — Estou no quarto da menina. Você já viu coisa igual?

Cheguei à porta e parei estarrecido.

O pequeno quarto parecia que recebera a visita de um furacão. As gavetas da cômoda estavam puxadas, e seu conteúdo, esparramado pelo chão. O colchão e as cobertas tinham sido arrancados da caminha. Os tapetes estavam empilhados. As cadeiras estavam de pernas para cima; os quadros, arrancados das paredes; as fotografias, arrancadas das molduras.

— Santo Deus! — exclamei. — Que foi isso?

— O que você acha?

— Alguém estava procurando alguma coisa.

— Exatamente.

Eu dei uma olhada em torno e assobiei.

— Mas quem poderia ter... Certamente ninguém poderia entrar aqui e fazer essa bagunça sem que fosse ouvido... ou visto.

— Por que não? A sra. Leonides passa a manhã inteira no quarto, fazendo as unhas e telefonando para as amigas e brincando de experimentar suas roupas. Philip senta-se na biblioteca e fica enfiado nos livros. A empregada está na cozinha descascando batatas e cortando vagens. Numa família em que cada um conhece os hábitos dos outros isso seria muito fácil. E eu lhe digo uma coisa. Qualquer um desta casa podia ter feito esse trabalhinho... ter preparado a armadilha para a menina e revistado seu quarto. Mas era alguém que estava com pressa, alguém que não teve tempo de dar uma busca minuciosa.

— Qualquer um da casa, você acha?

— Sim, já cheguei todos. Cada um tem um tempinho que não pode provar onde estava. Philip, Magda, a empregada, sua namorada. Lá em cima a mesma coisa. Brenda passou a maior parte da manhã sozinha. Laurence e Eustace tiveram meia hora de intervalo, das 10h30 às 11h. Você esteve com eles parte desse tempo... mas não o tempo todo. Edith de Haviland estava no jardim sozinha. Roger estava em seu estúdio.

— Então somente Clemency estava em Londres no trabalho.

— Não, nem ela saiu hoje. Ficou em casa o dia todo com dor de cabeça; estava sozinha no quarto com a sua dor de cabeça! Qualquer um deles... qualquer um desses desgraçados! E eu não sei qual deles! Não tenho ideia. Se soubesse o que estavam procurando aqui...

Seus olhos deram a volta no quarto desarrumado.

— E se eu soubesse que encontraram o que queriam...

Algo estalou em minha cabeça — um pensamento...

Taverner interrompeu-o ao me perguntar:

— O que a menina estava fazendo quando você a viu pela última vez?

— Espere — eu disse.

Saí do quarto às pressas e subi as escadas. Passei pela porta da esquerda e fui até o andar de cima. Empurrei a porta da sala das cisternas, subi os dois degraus e, baixando a cabeça porque o teto era muito baixo e sujo, dei uma olhada em torno.

Josephine dissera, quando eu lhe perguntara o que ela estava fazendo ali, que ela estava "procurando pistas".

Eu não sabia o que ela podia estar procurando naquela sala cheia de teias de aranha e tanques cheios d'água. Mas uma tal peça daria um bom esconderijo. Considerei provável que Josephine tivesse escondido alguma coisa por ali, alguma coisa que ela sabia muito bem que não era da sua conta. Se assim fosse, eu não deveria levar muito tempo para encontrar.

Só levei três minutos. Enfiado por detrás do tanque maior, de onde saía um assobio sibilante que acrescentava uma nota fantasmagórica à atmosfera, encontrei um maço de cartas enroladas num pedaço de papel pardo.

Li a primeira carta:

Oh, Laurence, meu querido, meu único e verdadeiro amor. Foi maravilhosa a noite passada, quando você citou aquele verso de poesia. Eu sabia que era dirigido a mim, apesar de você nem me ter olhado. Aristide disse: "Você lê versos muito bem." Ele não adivinhou o que ambos estávamos sentindo. Meu querido, eu tenho certeza de que brevemente tudo vai dar certo. Nós poderemos alegrar-nos de que ele não tenha sabido nunca e de que tenha morrido feliz. Ele foi bom para mim. Eu não iria querer que ele sofresse. Mas não penso mesmo que se possa retirar algum prazer da vida depois dos oitenta anos. Eu não iria querer! Em breve estaremos juntos para sempre. Como vai ser maravilhoso quando puder dizer a você: Meu marido adorado... Meu amor, fomos feitos um para o outro. Eu te amo, eu te amo, eu te amo. Eu sei que nosso amor não tem fim, eu...

Havia muito mais, mas eu não quis continuar.

Com uma expressão sombria, desci as escadas e joguei o pacote nas mãos de Taverner.

— É possível — eu disse — que fosse isto o que o nosso amigo desconhecido estivesse procurando.

Taverner leu alguns trechos, assobiou e remexeu as várias cartas.

Então foi que olhou para mim com a expressão de um gato que acabava de ser alimentado com o melhor dos cremes.

— Bem — disse ele mansamente —, isto liquida as esperanças da sra. Brenda Leonides. E também as do sr. Laurence Brown. Então eram eles, o tempo todo...

Capítulo 19

Pareceu-me estranho, ao olhar para trás, como a minha piedade e simpatia por Brenda Leonides desapareceram repentinamente com a descoberta de suas cartas, das cartas que escrevera para Laurence Brown. Teria sido a minha vaidade ferida que não aguentara a revelação de que ela amava Laurence com uma paixão boba e piegas e que mentira para mim deliberadamente? Eu não sei. Não sou psicólogo. Prefiro acreditar que foi o pensamento em Josephine, ferida de maneira cruel por alguém que queria silenciá-la, que apagara os últimos vestígios de minha simpatia.

— Se me perguntassem, eu diria que Brown preparou a armadilha — disse Taverner —, e isso explica o que me intrigou.

— O que o intrigou?

— Bem, era uma coisa tão boba. Olhe só, se a garota passou a mão naquelas cartas (cartas que eram absolutamente condenatórias!), a primeira coisa a fazer era tentar reavê-las (afinal de contas a menina pode falar sobre as cartas, mas se não tem nada a mostrar, vão dizer que ela estava fantasiando), porém você não pode reavê-las porque não sabe onde estão. Então a única coisa a fazer é livrar-se de vez da menina. Você já cometeu um crime e não vai ter muitos escrúpulos para cometer outro. Você sabe que ela gosta de se balançar na porta de um pátio aonde ninguém vai. A coisa ideal a fazer é ficar escondido atrás da porta e abatê-la quando vier, com um pedaço de pau ou uma barra de ferro, ou ainda um pedaço de mangueira no pescoço. Estava tudo ali à mão. Por que mexer com um leão de mármore pendurado numa porta e que pode muito bem falhar completamente ou, se chegar a acertá-la, poderá fazer o serviço incompleto (que foi o que acabou acontecendo)? Eu lhe pergunto: por quê?

— Bem — eu disse —, qual é a resposta?

— A única ideia que tive foi que alguém tentou ajeitar isso com o álibi de outra pessoa. Alguém teria um álibi formidável no momento em que Josephine estava sendo posta fora de combate. Mas não adiantou nada porque, para começar, ninguém tem álibi de espécie alguma, e, depois, alguém havia de procurar a menina na hora do almoço e encontraria a armadilha e o bloco de mármore, e todo o *modus operandi* iria por água abaixo. É claro, se o assassino tivesse tirado o bloco antes de a menina ser encontrada, então talvez tivéssemos ficado na mão. Mas da maneira que foi a coisa toda não faz sentido.

Ele estendeu as mãos.

— E qual é a sua explicação?

— O elemento pessoal. Idiossincrasia pessoal. Laurence Brown é excêntrico. Não gosta de violência... não consegue se forçar a praticar uma violência. Literalmente, ele não poderia ficar atrás da porta e dar uma pancada na cabeça da menina. Poderia ter preparado a armadilha e ido embora para não ver o resultado.

— Sim, entendo — eu disse devagar. — É a eserina na garrafa de insulina outra vez?

— Exatamente.

— Você acha que ele fez isso sem que Brenda soubesse?

— Isso explicaria por que ela não jogou fora a garrafinha de insulina depois. É claro, é possível que eles tenham combinado tudo entre si... ou talvez ela mesma tenha pensado no veneno... uma morte fácil e suave para o seu marido velho e cansado, e a melhor das melhores soluções! Mas aposto que não foi ela que arrumou a armadilha. Mulheres nunca confiam em coisas mecânicas que funcionem bem. E elas têm razão. Eu mesmo acho que a eserina foi ideia de Brenda, mas ela obrigou o seu escravo abobalhado a fazer a troca. Ela é do tipo que consegue geralmente evitar qualquer coisa que a comprometa. Assim, as mulheres se conservam sempre com a consciência tranquila.

Fez uma pausa e continuou:

— Com aquelas cartas, acho que o promotor público dirá que já temos um caso. Eles vão ter um trabalhinho para se explicar! Então, se a garota se recuperar, tudo vai ficar azul outra vez!

Ele me deu uma olhada meio de esguelha.

— Qual é a sensação de ficar noivo de um milhão de libras?

Eu pisquei. Na agitação das últimas horas, eu esquecera completamente a questão do testamento.

— Sophia ainda não sabe — respondi. — Você quer que eu lhe dê a notícia?

— Ouvi dizer que Gaitskill vai dar a triste (ou alegre?) notícia amanhã depois do inquérito.

Taverner fez uma pausa e olhou-me pensativo.

— Estou imaginando — disse ele —, quais serão as reações da família?

Capítulo 20

O inquérito passou-se mais ou menos como eu previra. Foi adiado a pedido da polícia.

Estávamos todos alegres porque as notícias que vieram do hospital diziam que os ferimentos de Josephine eram bem menos sérios do que se imaginara e que sua convalescença seria rápida. No momento, o dr. Gray dissera, ela não podia receber visitas, nem mesmo da mãe.

— Principalmente da mãe — murmurara Sophia para mim. — Chamei a atenção do dr. Gray para isso. De qualquer maneira, ele conhece mamãe.

Acho que a olhei meio em dúvida, porque Sophia disse bruscamente:

— Por que esse olhar de censura?

— Bem... certamente a mãe...

— Eu fico muito satisfeita de você ter certas ideias simpáticas e antiquadas, Charles. Mas você ainda não sabe do que mamãe é capaz. A queridinha não pode evitar, mas haveria infalivelmente uma grande cena dramática. E cenas dramáticas não são o que há de melhor para alguém que está convalescendo de um ferimento na cabeça.

— Você pensa em tudo, não é, meu amor?

— Bem, alguém tem de pensar agora que vovô morreu.

Olhei para ela pensativo. Vi que a argúcia do velho Leonides não o abandonara. O fardo de responsabilidade já estava sobre os ombros de Sophia.

Depois do inquérito, Gaitskill acompanhou-nos de volta a Três Oitões. Pigarreou e disse:

— Há uma informação que é meu dever transmitir a vocês todos.

Para isso, toda a família reuniu-se na sala de visitas de Magda. Eu senti naquele instante as sensações bastante agradáveis do homem que está por detrás dos bastidores. Eu já sabia o que Gaitskill ia dizer.

Preparei-me para observar as reações de cada um.

Gaitskill foi lacônico e seco. Qualquer sinal pessoal de aborrecimento foi muito bem escondido. Ele leu primeiro a carta de Aristide Leonides e depois o próprio testamento.

Foi muito interessante observá-los. Só desejei que meus olhos vissem todos ao mesmo tempo.

Não prestei muita atenção a Brenda e Laurence. O dinheiro para Brenda neste testamento era igual ao outro. Olhei primeiro para Roger e Philip, e depois, para Magda e Clemency.

Minha primeira impressão foi de que todos se comportaram muito bem.

Os lábios de Philip estavam apertados, sua bela cabeça recostada contra a cadeira alta em que estava sentado. Ele não falou nada.

Magda, pelo contrário, prorrompeu num discurso assim que Gaitskill acabou de falar, sua voz cheia emergindo sobre todos os tons como uma maré de enchente sobre um riachinho.

— Sophia querida... Que coisa extraordinária!... Que romântico... Imagine, o nosso velhinho como foi manhoso e malandro... como um menininho esperto. Será que ele não confiava em nós? Será que ele achava que iríamos passá-lo para trás? Ele nunca pareceu gostar mais de Sophia do que de qualquer um de nós. Mas, realmente, como isso é dramático!

De repente, Magda ficou de pé de um salto, dançou em volta de Sophia e fez-lhe uma grande reverência.

— Madame Sophia, a sua mãe pobre e sem tostão pede-lhe uma esmolinha.

Começou a falar como uma dessas pedintes de rua:

— Me dá uma grana, queridinha. A mãezinha aqui quer ir ao cinema...

Sua mão, em forma de garra, contraía-se insistentemente para Sophia.

Philip, sem se mexer, falou através dos lábios semicerrados:

— Por favor, Magda, não há necessidade de bancar a palhaça.

— Oh, mas Roger! — disse Magda, virando-se de repente para ele. — Pobre Roger querido! O velhinho ia socorrê-lo, e agora, antes que ele pudesse fazer alguma coisa, morreu. E agora Roger não tem nada, Sophia.

Virou-se impetuosamente para Sophia:

— Você precisa fazer alguma coisa por Roger!

— Não! — disse Clemency. Ela dera um passo à frente. Seu rosto era um desafio. — Nada. Absolutamente nada.

Roger veio para perto de Sophia bamboleando como um ursão simpático.

Tomou-lhe as mãos afetuosamente.

— Eu não quero um níquel, minha menina. Assim que este negócio terminar... ou se apagar, que é o que parece que vai acontecer... então Clemency e eu vamos para as Índias Ocidentais e para uma vida simples. Se eu me vir mesmo em sérios apuros, pedirei ajuda à cabeça da família — ele lhe fez uma cara simpática —, mas até lá, não quero um tostão. Eu sou realmente uma pessoa muito simples, minha querida, pergunte só a Clemency.

Uma voz inesperada interrompeu-os. Era Edith de Haviland.

— Tudo está muito bom — disse ela. — Mas vocês precisam prestar atenção a uma coisa. Se você for à falência, Roger, e depois escapulir para o outro lado do mundo sem que Sophia lhe dê uma ajuda, haverá um falatório tão grande que não vai ser agradável para ela.

— E o que importa a opinião alheia? — perguntou Clemency desdenhosa.

— Sabemos que para você não importa, Clemency — disse Edith de Haviland secamente —, mas Sophia vive neste mundo. Ela é uma moça que tem cabeça e bom coração, e eu não tenho dúvidas de que Aristide estava certo quando a escolheu para cuidar da fortuna da família... se bem que passar por cima de seus dois filhos ainda vivos nos pareça estranho em virtude de nossas ideias inglesas... mas acho que seria muito triste se ela demonstrasse avareza quanto a esta questão... deixando Roger arrebentar-se sem tentar ajudá-lo.

Roger aproximou-se da tia. Pôs as mãos sobre seus ombros e apertou-a contra si.

— Tia Edith — disse ele —, a senhora é uma lutadora teimosa e é um amor, mas não está entendendo. Clemency e eu sabemos o que queremos... ou o que não queremos!

Clemency, com um rubor surgindo de repente em seu rosto, ficou de pé num desafio em frente a todos.

— Nenhum de vocês — disse ela — compreende Roger. Nunca compreenderam! E acho que não compreenderão nunca! Venha, Roger.

Eles deixaram a sala enquanto Gaitskill pigarreava e remexia em seus papéis. Assumira uma postura de profunda censura. Ele não gostara muito da cena anterior. Isso estava claro.

Dirigi o olhar para Sophia. Ela estava de pé muito bonita e numa postura firme, perto da lareira, o queixo erguido, os olhos firmes. Acabara de herdar uma imensa fortuna, mas o meu pensamento principal era como ela se tornara de repente tão sozinha. Entre ela e sua família fora criada uma barreira. Daquele dia em diante, ela se distanciaria deles, e presumi que ela já sabia disso e encarava o fato como consumado. O velho Leonides colocara o fardo sobre seus ombros — ele sabia disso, e ela também. Ele acreditava que seus ombros eram fortes o bastante para aguentá-lo, mas, naquele exato momento, eu sentia uma pena indescritível dela.

Até então, ela não dissera nada — na verdade, ninguém lhe dera uma oportunidade —, mas brevemente ela seria obrigada a falar. Agora, por trás da aparente afeição familiar, eu podia sentir uma hostilidade latente. Mesmo no ato gracioso representado por Magda, percebi uma malícia sutil. E havia muitas outras coisas obscuras que ainda não tinham vindo à tona.

Os pigarros do sr. Gaitskill deram lugar a um discurso preciso e comedido.

— Permita-me dar-lhe os parabéns, Sophia — disse ele. — Você é agora uma mulher muito rica. Eu a aconselho a não tomar nenhuma... ahn... decisão precipitada. Posso adiantar-lhe o dinheiro de que você necessitar no momento para as primeiras despesas. Se você quiser discutir arranjos futuros, ficarei muito feliz de dar-lhe os melhores conselhos que estiverem ao meu alcance. Marque uma hora comigo no Hotel Lincoln, quando você tiver um tempo livre, para pormos tudo em dia.

— Roger... — começou obstinadamente Edith de Haviland. Gaitskill interrompeu-a rapidamente.

— Roger — disse ele — precisa arranjar-se sozinho. Ele é um homem adulto... ahn... tem 54 anos, eu acho. E Aristide Leonides estava certo, vocês sabem. Ele não é um homem de negócios e nunca o será.

Olhou para Sophia:

— Se você puser a Associação de Fornecedores outra vez de pé, não tenha ilusões de que Roger poderá dirigi-la satisfatoriamente.

— Eu nem sonharia em levantar outra vez a Associação de Fornecedores — disse Sophia.

Era a primeira vez que ela falava. Sua voz era viva e assumira um tom profissional.

— Seria idiotice — acrescentou.

Gaitskill deu-lhe uma olhada por baixo das sobrancelhas e sorriu consigo mesmo. Então, deu até logo para todos e saiu.

Houve alguns minutos de silêncio, a certeza de que a família estava sozinha.

Foi quando Philip ergueu-se muito aprumado.

— Preciso voltar à biblioteca — disse ele. — Já perdi muito tempo.

— Papai... — Sophia falou incerta, quase suplicante.

Eu senti que ela estremeceu e recuou quando Philip dirigiu-lhe um olhar hostil e frio.

— Você deve desculpar-me por não lhe dar os parabéns — disse ele. — Mas isso foi um grande choque para mim. Não acreditaria nunca que meu pai pudesse humilhar-me tanto... que ele não tivesse levado em conta a minha devoção de toda a vida... sim... devoção.

Pela primeira vez, o homem verdadeiro quebrou aquela crosta de gelo que o cercava.

— Meu Deus! — gritou ele. — Como ele pôde fazer isso comigo? Sempre foi injusto comigo... sempre!

— Oh, não, Philip, não, você não deve pensar assim! — gritou Edith de Haviland. — Não encare isso como um menosprezo. Não foi. Quando as pessoas envelhecem, voltam-se naturalmente para a geração mais nova... Eu lhe garanto que foi apenas isso... E, além disso, Aristide tinha muito jeito para negócios. Eu sempre o ouvi dizer que pagar dois direitos sobre a herança...

— Ele nunca ligou para mim — disse Philip. Sua voz era baixa e rouca. — Foi sempre Roger... Roger. Bem, pelo menos...

Uma expressão extraordinária de rancor desfigurou-lhe o rosto bonito.

— Papai percebeu que Roger era um tolo e um fracassado. Ele também deserdou Roger.

— E eu então? — disse Eustace.

Eu mal reparara em Eustace até agora, mas percebi que ele estava tremendo com alguma emoção violenta. Seu rosto estava rubro e, havia, creio, lágrimas em seus olhos. Sua voz tremia quando ele falou histérico:

— É uma vergonha! — disse Eustace. — É uma vergonha maldita! Como foi que vovô ousou fazer isso comigo? Como foi que ele ousou preferir Sophia a mim? Eu era o seu único neto. Não é justo. Eu o odeio. Eu o odeio. Nunca o perdoarei enquanto viver. Velho tirânico e imbecil! Eu queria que ele morresse. Eu queria sair desta casa. Eu queria ser dono de mim mesmo. E agora vou ter de obedecer e bajular Sophia e bancar o tolo. Eu preferia estar morto...

Sua voz sumiu, e ele saiu correndo da sala.

Edith de Haviland deu um estalo rápido com a língua.

— Não sabe controlar-se — murmurou ela.

— Eu sei como ele se sente — choramingou Magda.

— Tenho certeza de que sabe — disse Edith acidamente.

— Meu pobrezinho! Eu vou atrás dele.

— Ora, Magda... — Edith apressou-se a correr atrás dela.

Suas vozes morreram a distância. Sophia permaneceu olhando para Philip. Acho que havia certa súplica em seu olhar. Ele olhou-a friamente, muito controlado outra vez.

— Você fez um trabalhinho muito bem-feito, Sophia — disse ele e saiu da sala.

— Foi muito cruel isso que o senhor disse — gritei. — Sophia...

Ela estendeu as mãos para mim. Tomei-a nos braços.

— Isso foi demais para você, meu amor.

— Eu sei como eles se sentem — disse Sophia.

— Aquele velho diabólico, o seu avô, não devia ter feito isso com você.

Ela endireitou os ombros.

— Ele achou que eu aguentaria. E eu também acho. Eu gostaria... Eu gostaria que Eustace não se tivesse importado tanto.

— Ele esquecerá.

— Será? Eu não sei. Ele é do tipo que rumina as coisas terrivelmente. E não gostei de papai ter ficado assim tão ferido.

— Sua mãe não ligou.

— Ela se importa, sim. Somente a contragosto ela virá à sua filha pedir dinheiro para financiar suas peças. Ela vai ficar atrás de mim para investir dinheiro em Edith Thompson bem antes do que você imagina.

— E o que você vai dizer? Se a faz feliz...

Sophia soltou-se de meus braços, a cabeça jogada para trás.

— Eu vou dizer "Não"! É uma peça idiota, e mamãe não pode representar aquele papel. Seria como se eu jogasse dinheiro fora!

Eu ri baixinho. Não pude evitar.

— Por que você está rindo? — perguntou Sophia desconfiada.

— Estou começando a entender por que seu avô lhe deixou o dinheiro. Você não nega de quem descende, Sophia...

Capítulo 21

Minha única tristeza nesta hora foi que Josephine não estivesse presente. Ela teria se divertido muito.

Sua convalescença foi rápida, e ela estava sendo esperada a qualquer momento, mas ainda assim perdeu outro acontecimento de muita importância.

Eu estava no jardim de manhã com Sophia e Brenda quando um carro parou à porta da frente. Taverner e o sargento Lamb desceram e entraram na casa.

Brenda ficou imóvel, olhando para o carro.

— São aqueles homens — disse ela. — Voltaram. E eu que pensava que eles já tinham desistido... eu pensei que já estivesse tudo acabado.

Eu vi quando ela estremeceu.

Ela se juntara a nós uns dez minutos antes. Enrolada em seu abrigo de chinchila, ela dissera:

— Se eu não tomar ar e fizer um pouco de exercício, vou ficar louca. Se ponho os pés lá fora, há sempre um repórter esperando para me abordar. É como se sentir sitiada. Vai ser assim sempre?

Sophia disse que acreditava que, breve, os repórteres se cansariam.

— Você pode dar uma volta de automóvel — acrescentou.

— Eu lhe digo que preferia fazer um pouco de exercício.

Depois ela disse bruscamente:

— Você despediu Laurence, Sophia. Por quê?

Sophia respondeu devagar:

— Estamos arranjando outra coisa para Eustace. E Josephine vai para a Suíça.

— Bem, você deixou Laurence aborrecido. Ele achou que você não confia nele.

Sophia não respondeu, e foi nesse instante que o carro de Taverner chegou.

Parada ali, trêmula no ar úmido do outono, Brenda murmurou:

— O que eles querem? Por que vieram?

Presumi que sabia por que tinham voltado. Não dissera nada a Sophia sobre as cartas que encontrara perto da cisterna, mas sabia que elas tinham sido encaminhadas ao promotor público.

Taverner saiu outra vez da casa. Atravessou a alameda e o gramado em nossa direção. Brenda tremeu ainda com mais força.

— O que ele quer? — ela repetia nervosa. — O que ele quer?

Taverner chegou perto de nós. Falou pouco, com sua voz oficial, usando frases oficiais.

— Eu tenho um mandado de prisão para a senhora... a senhora está sendo acusada de ter administrado eserina a Aristide Leonides no dia 19 de setembro último. Devo avisá-la de que qualquer coisa que a senhora disser poderá ser usada como evidência em seu julgamento.

E foi então que Brenda se descontrolou. Gritou. Agarrou-se a mim. Gritou alto:

— Não, não, não, não é verdade! Charles, diga-lhes que não é verdade! Eu não fiz isso! Eu não sei de nada. É uma conspiração. Não deixe que me levem. Não é verdade, eu lhes digo... Não é verdade... Eu não fiz nada...

Foi horrível — inacreditavelmente horrível. Tentei acalmá-la, soltei seus dedos de meu braço. Disse-lhe que arranjaria um advogado para ela — que mantivesse a calma —, que um advogado arranjaria tudo.

Taverner pegou-a gentilmente pelo braço.

— Venha, sra. Leonides — disse ele. — A senhora não quer um chapéu, quer? Não? Então precisamos ir logo.

Ela o empurrou, olhando para ele com seus enormes olhos de felina.

— Laurence — disse ela. — O que vocês fizeram com Laurence?

— O sr. Laurence Brown também está preso sob a mesma acusação — disse Taverner.

Ela afrouxou então. Seu corpo pareceu entrar em colapso e encolher-se. As lágrimas rolaram sobre seu rosto. Caminhou mansamente atrás de Taverner pelo gramado. Eu vi Laurence Brown e o sargento Lamb saírem da casa. Todos entraram no carro... O carro foi embora.

Suspirei profundamente e virei-me para Sophia. Ela estava muito pálida, e havia um ar de angústia em seu rosto.

— É horrível, Charles — disse ela. — Oh, como é horrível!

— Eu sei.

— Você precisa conseguir para ela um advogado de primeira classe... o melhor de todos. Ela... Ela precisa de toda a ajuda possível.

— A gente nunca imagina — eu disse — como são essas coisas. Eu nunca havia visto antes ninguém ser preso.

— Eu sei. A gente não tem ideia.

Ficamos ambos em silêncio. Eu estava pensando no terror desesperado no rosto de Brenda. Parecera-me familiar e, de repente, entendi por quê. Fora a mesma expressão que vira no rosto de Magda Leonides, quando viera pela primeira vez à Casa Torta e ela estava falando sobre a peça de Edith Thompson.

— E então — ela dissera —, o terror puro, você não acha?

Terror puro — fora isso que eu vira no rosto de Brenda. Ela não era uma lutadora. Fiquei imaginando se Brenda teria tido algum dia a coragem para praticar um crime. Possivelmente não. É provável que tenha sido Laurence Brown, com sua mania de perseguição, sua personalidade instável, que pusera o conteúdo de um vidrinho no outro — um ato tão simples — para libertar a mulher que amava.

— Então está acabado — disse Sophia.
Ela suspirou profundamente e perguntou:
— Mas por que prendê-los agora? Pensei que não havia provas suficientes.
— Uma certa evidência veio à luz. Cartas.
— Você quer dizer cartas de amor entre eles?
— Sim.
— Como as pessoas são tolas em guardar essas coisas!
Sim, era verdade. Tolos. O tipo de tolice que se repete apesar da experiência dos outros. Não se podia abrir um jornal qualquer sem se ver alguma tolice desse tipo — a paixão de se guardar a palavra escrita, a certeza escrita do amor.
— É cruel, Sophia — eu disse. — Mas não adianta você se preocupar mais com isso. Depois de tudo, era o que todos estávamos esperando o tempo todo, não era? Foi isso que você me disse naquela primeira noite no Mario's. Disse que tudo ficaria bem se fosse a pessoa certa que tivesse matado seu avô. Brenda era a pessoa certa, não era? Brenda ou Laurence?
— Por favor, Charles, não me faça sentir assim tão mal.
— Mas precisamos ser sensatos. Podemos casar agora, Sophia. Você não pode mais me recusar. A família está fora do crime.
Ela olhou para mim. Eu nunca percebera antes como era forte o azul de seus olhos.
— Sim — disse ela —, suponho que agora estamos fora. Será que estamos mesmo? Você tem certeza?
— Minha menina querida, nenhum de vocês tinha a menor sombra de motivo.
Seu rosto empalideceu de repente.
— Exceto eu, Charles. Eu tinha um motivo.
— Sim, é claro... — fiquei surpreso. — Mas, na verdade, não tinha, não. Você não sabia, não é? Não sabia sobre o testamento.
— Mas eu sabia, Charles — murmurou ela.
— O quê? — Olhei para ela. Gelei de repente.
— Eu sabia o tempo todo que vovô deixara o dinheiro para mim.

— Mas como?

— Ele me contou. Uns quinze dias antes de sua morte. Ele me disse assim de repente: "Eu deixei todo o meu dinheiro para você, Sophia. Você precisa tomar conta da família quando eu for embora."

Eu a encarei.

— Você nunca me disse nada.

— Não. Sabe? Quando todos eles explicaram sobre o testamento e sobre a assinatura dele, eu pensei que talvez houvesse um engano... que ele estava apenas imaginando que deixara o dinheiro para mim. Ou que talvez tivesse mesmo feito um testamento deixando-o para mim, e que, depois, o testamento houvesse se extraviado e que não apareceria nunca. Eu não queria que ele aparecesse... eu estava com medo.

— Com medo? Por quê?

— Acho que... por causa do crime.

Eu me lembrei do olhar de terror no rosto de Brenda — o pânico irracional. Eu me lembrei do pânico puro que Magda evocara como que por encanto enquanto estava interpretando o papel de uma assassina. Não havia pânico no pensamento de Sophia, mas ela era realista e via claramente que o testamento de Leonides fazia dela uma suspeita. Compreendi melhor então (ou pensei que compreendi) a sua recusa de se tornar minha noiva e a sua insistência de que eu devia procurar saber a verdade. Nada, a não ser a verdade, ela dissera, serviria para ela. Eu me lembrei da paixão, da ansiedade com que ela dissera isso.

Demos meia-volta e caminhávamos na direção da casa, quando de repente, num certo lugar, lembrei-me de outra coisa que ela dissera.

Ela dissera que achava que era capaz de assassinar alguém, mas que, se fosse assim, acrescentara, teria de ser por algo que verdadeiramente valesse a pena.

Capítulo 22

Numa curva do jardim, Roger e Clemency caminhavam vivamente em nossa direção. O paletó folgado de Roger caía-lhe melhor que as roupas que usava na cidade. Ele parecia ansioso e agitado. Clemency tinha a testa franzida.

— Olá, vocês dois! — disse Roger. — Finalmente! Pensei que não prenderiam nunca aquela mulher pérfida! O que eles estavam esperando, eu não sei. Bem, eles a pegaram agora, e aquele miserável do seu namorado... e espero que os enforquem a ambos.

As rugas de Clemency se acentuaram. Ela disse:

— Não seja tão bárbaro, Roger.

— Bárbaro? Tolice! Envenenamento frio e deliberado de um pobre velho inocente e indefeso... e, quando digo que me alegro que paguem por sua culpa, você diz que sou bárbaro! Eu lhe digo que queria enforcar aquela mulher com minhas próprias mãos!

Acrescentou:

— Ela estava com vocês, não estava, quando a polícia veio procurá-la? Como foi que ela reagiu?

— Foi horrível — disse Sophia em voz baixa. — Ela estava apavorada.

— Bem feito.

— Não seja vingativo — disse Clemency.

— Oh, eu sei, minha querida, mas você não pode compreender. Não era o seu pai. Eu amava meu pai. Você não compreende? Eu o adorava!

— Acho que já era tempo de eu compreender — disse Clemency.

Roger falou para ela, em tom de brincadeira:

— Você não tem imaginação, Clemency. Suponhamos que tivesse sido eu que fosse envenenado...

Eu vi seus olhos se abaixarem rapidamente, as mãos semicerradas. Ela disse secamente:

— Não diga essas coisas nem de brincadeira.

— Não ligue, querida, em breve estaremos longe daqui.

Dirigimo-nos para a casa. Roger e Sophia iam na frente, e Clemency e eu, mais atrás. Ela falou:

— Será que eles agora... vão nos deixar ir embora?

— Você está assim tão ansiosa para partir? — perguntei.

— Isso está acabando comigo.

Olhei para ela surpreso. Ela enfrentou meu olhar com um leve sorriso nervoso e um aceno de cabeça.

— Você ainda não viu, Charles, que estou lutando o tempo todo? Lutando pela minha felicidade. Pela felicidade de Roger. Fiquei com tanto medo de que a família o convencesse a ficar na Inglaterra. Que ficássemos outra vez presos no meio deles, presos por laços familiares. Estava com medo de que Sophia lhe oferecesse uma renda e ele ficasse na Inglaterra supondo que isso significasse um maior conforto e facilidades para mim. O problema com Roger é que ele não escuta ninguém. Ele põe ideias na cabeça... nunca são as ideias certas. Ele não sabe de nada. E é Leonides o bastante para achar que a felicidade de uma mulher está ligada ao conforto e ao dinheiro. Mas lutarei pela minha felicidade... eu lutarei... Lutarei até arrancar Roger daqui e dar-lhe a vida que lhe convém e onde ele não se sinta um fracasso. Eu o quero para mim... longe deles todos... bem longe...

Ela falara numa voz baixa e apressada, com um tom de desespero que me espantara. Eu não percebera como ela estava abalada. Não percebera também o quanto era insensato e possessivo o seu amor por Roger.

Voltou-me à mente uma citação passada de Edith de Haviland. Ela falara dessa "quase adoração" com uma entoação particular. Imaginei se ela não estava falando de Clemency.

Roger, eu pensei, amava o pai mais do que a qualquer outra pessoa, mais do que à sua esposa, apesar de lhe ser muito devotado. Percebi pela primeira vez como era urgente o desejo de Clemency de ter o marido para si própria. O amor por Roger, percebi, significava toda a sua existência. Ele era o seu filho, o seu marido e o seu amante.

Um automóvel parou na porta da frente.

— Olá! — eu disse. — Josephine está de volta.

Josephine e Magda saíram do carro. Josephine tinha uma atadura em volta da cabeça, mas, apesar disso, parecia extremamente bem.

Ela disse logo:

— Eu quero ver meu peixinho dourado. — E foi para perto do laguinho.

— Querida — gritou Magda —, é melhor você subir primeiro, deitar-se um pouco e talvez tomar uma sopinha fortificante.

— Não exagere, mamãe — disse Josephine. — Estou muito bem e detesto sopinhas fortificantes.

Magda pareceu indecisa. Eu sabia que Josephine estava para vir embora do hospital havia já alguns dias, e que foi apenas por sugestão de Taverner que ela ficara lá. Ele não queria correr riscos quanto à segurança de Josephine até que seus suspeitos estivessem trancados a sete chaves.

Eu disse a Magda:

— Eu diria que um pouco de ar fresco fará bem a ela. Fico aqui e tomarei conta.

Alcancei Josephine antes que ela chegasse perto do laguinho.

— Um monte de coisas aconteceu enquanto você estava fora.

Josephine não respondeu. Ela olhava com seus olhos míopes para o laguinho.

— Não estou vendo *Ferdinando* — disse ela.
— Qual é o *Ferdinando*?
— O que tem quatro rabos.
— É um tipo de peixe engraçado. Eu gosto mais daquele douradinho ali.
— É muito comum.
— Eu não gosto muito daquele que tem cara de ser roído pelas traças, o branquinho.
Josephine me lançou um olhar de desdém.
— É um *shubunkin*. Eles custam muito caro, muito mais do que os vermelhinhos.
— Você não quer saber o que está acontecendo, Josephine?
— Acho que sei de tudo.
— Você sabia que acharam outro testamento e que seu avô deixou tudo para Sophia?
Josephine fez que sim com a cabeça com um ar enfastiado.
— Mamãe me disse. E, de qualquer jeito, eu já sabia mesmo.
— Quer dizer que ficou sabendo enquanto estava no hospital?
— Não, eu quis dizer que sabia que vovô deixou todo o dinheiro para Sophia. Escutei quando ele contou a ela.
— Você estava ouvindo atrás da porta outra vez?
— Estava. Eu gosto de escutar as coisas.
— Isso é muito feio e, lembre-se, gente que escuta atrás das portas nunca ouve coisas boas de si mesma.
Josephine olhou-me estranhamente.
— Eu ouvi o que ele falou de mim para ela, se foi isso que você quis dizer.
Ela acrescentou:
— A babá fica danada quando me pega escutando atrás das portas. Ela diz que não é uma coisa para uma mocinha educada fazer.
— Ela tem razão.
— Ah, essa não! — disse Josephine. — Ninguém tem mais educação hoje em dia. Eles dizem isso, os peritos no assunto. Dizem que é ob-so-le-to. — Ela pronunciou a palavra cuidadosamente.

Eu mudei de assunto.

—Você chegou um pouquinho atrasada para o último acontecimento: o inspetor Taverner prendeu Brenda e Laurence.

Pensei que Josephine, em seu papel de jovem detetive, fosse ficar emocionada com essa informação, mas ela apenas repetiu da mesma forma enfastiada:

— Sim, eu sei.

— Você não tinha como saber. Acabou de acontecer.

— O automóvel passou pela gente na estrada. O inspetor Taverner e o detetive de sapatos de camurça estavam dentro com Brenda e Laurence, então deduzi que eles deviam ter sido presos. Espero que ele tenha feito as advertências necessárias. Tem de ser feito com muita prudência, você sabe.

Eu lhe assegurei que Taverner agira estritamente de acordo com o protocolo.

— Tive de contar a ele sobre as cartas — disse, desculpando-me. — Eu as encontrei atrás da cisterna. Eu devia ter deixado você contar a ele, mas você estava machucada.

A mão de Josephine passou desajeitada pela cabeça.

— Eu podia ter morrido — disse com complacência. — Eu lhe disse que estava na hora do segundo crime. A cisterna era um lugar muito ruim para esconder aquelas cartas. Adivinhei logo quando vi Laurence saindo de lá um dia. Eu sabia que ele não é do tipo de homem que mexe com boias, encanamentos ou fusíveis; logo, deduzi que ele devia estar escondendo alguma coisa.

— Mas pensei... — interrompi o que ia dizer ao ouvir a voz de Edith de Haviland chamando com autoridade.

— Josephine, Josephine, venha aqui imediatamente!

Josephine suspirou.

— Mais confusão — disse ela. — Mas é melhor eu ir. Você também... é tia Edith.

Ela correu pelo gramado. Eu a segui mais devagar.

Depois de uma breve troca de palavras, Josephine entrou em casa. Juntei-me a Edith de Haviland no terraço.

Nessa manhã, ela aparentava mesmo a idade que tinha. Fiquei surpreso pelas rugas de cansaço e sofrimento em seu rosto.

Parecia exausta e derrotada. Viu que eu estava reparando nela e tentou sorrir.

— Essa criança não parece ter sofrido nada com a aventura — disse ela. — Precisamos cuidar melhor dela no futuro. Entretanto... suponho que agora não seja mais necessário.

Suspirou e acrescentou:

— Estou contente que tudo tenha terminado. Mas que exibição! Se você for detido por um crime de morte, deve ter ao menos dignidade. Eu não tenho paciência com gente como Brenda que começa a berrar e fica histérica. Não tem tutano, essa gente. Laurence Brown parecia um animalzinho assustado.

Um obscuro instinto de piedade tomou conta de mim.

— Pobres coitados — disse eu.

— Sim... pobres coitados. Será que ela vai ter juízo para saber cuidar de si? Eu quero dizer, contratar os advogados certos... essas coisas todas?

Era estranho, pensei, a ojeriza que todas tinham por Brenda, e, entretanto, o cuidado escrupuloso para que ela tivesse todas as vantagens de defesa.

Edith de Haviland continuou:

— Quanto tempo vai durar? Quanto tempo leva todo o processo?

Eu disse que não sabia exatamente. Eles iriam acusá-la na própria corte de polícia, e com certeza ela seria enviada a julgamento. Três ou quatro meses, calculei — e se for condenada haverá apelo.

— Você acha que eles serão condenados? — perguntou ela.

— Não sei. Não sei exatamente quantas provas tem a polícia. Existem as cartas.

— Cartas de amor? Eles eram amantes?

— Eles estavam apaixonados um pelo outro.

Seu rosto pareceu mais sombrio.

— Eu não estou satisfeita com isso tudo, Charles. Eu não gosto de Brenda. No passado, eu a detestava mesmo. Disse muitas coisas desagradáveis sobre ela. Mas agora... sinto que é necessário que ela tenha todas as chances... todas as chances possíveis. Aristide havia de querer que fosse assim. Creio que cabe a mim agora cuidar disso... Cuidar que Brenda tenha um julgamento honesto.

— E Laurence?

— Oh, Laurence! — ela deu de ombros, impaciente. — Os homens devem cuidar de si mesmos. Mas Aristide nunca nos perdoaria se nós... — deixou a frase inacabada.

Depois disse:

— Deve ser quase hora de almoço. É melhor entrarmos.

Eu lhe expliquei que ia para Londres.

— No seu carro?

— Sim.

— Hum... Talvez você possa levar-me até lá. Presumo que já estamos liberados agora.

— É claro que a levarei, mas acredito que Magda e Sophia também vão para lá depois do almoço. A senhora estará mais confortável com elas do que no meu carrinho de dois lugares.

— Eu não quero ir com elas. Leve-me com você e não diga nada a ninguém.

Fiquei surpreso, mas fiz o que ela pediu. Quase não falamos enquanto nos dirigíamos para a cidade. Perguntei-lhe onde queria que a deixasse.

— Na rua Harley.

Senti uma leve apreensão, mas não queria falar nada. Ela continuou:

— Não, ainda é muito cedo. Pode deixar-me no Debenhams. Eu como qualquer coisa e depois vou para a rua Harley.

— Eu espero... — comecei a falar, mas parei.

— É por isso que não queria vir com Magda. Ela dramatiza as coisas. Faz muita confusão.

— Sinto muito — disse eu.

— Não diga isso. Eu tive uma vida boa. Uma vida muito boa — abriu repentinamente um sorriso escancarado. — E ela ainda não terminou.

Capítulo 23

Eu não via meu pai já fazia alguns dias. Encontrei-o ocupado com outros problemas diferentes do caso Leonides, e saí à procura de Taverner.

Taverner estava aproveitando um tempinho livre e aceitou meu convite para sairmos e tomarmos uma bebida. Eu lhe dei os parabéns por ter desvendado o caso, e ele aceitou, mas sua postura estava longe de ser triunfante.

— Bem, tudo acabou — disse ele. — Conseguimos um processo. Ninguém pode negar que conseguimos um processo.

— Você acha que eles vão ser condenados?

— Impossível dizer. A evidência é circunstancial... é quase sempre nos crimes de morte... não pode deixar de ser. Tudo depende muito da impressão que eles causem ao júri.

— Até onde vão as cartas?

— À primeira vista, Charles, elas são condenatórias. Há referências à vida futura, juntos, quando o marido dela estiver morto. Frases como "não será por muito tempo agora". Veja bem, o advogado de defesa vai tentar inverter isso; o marido era tão idoso que evidentemente eles esperavam que ele morresse. Não há nenhuma menção ao envenenamento... assim por escrito... mas há algumas passagens que poderiam ter esse sentido. Depende do juiz que conseguirmos. Se for o velho Carberry, eles estão fritos. Ele é sempre muito cheio de história contra os amores ilícitos. Suponho que eles vão pegar Eagles ou Humphrey Kerr para a defesa. Humphrey é magnífico para esses casos, mas ele gosta de um galante passado de guerras ou algo do gênero para ajudá-lo. A objeção de consciência à guerra vai dificultá-lo. A questão é: será que o júri vai gostar deles? A gente nunca sabe o que eles têm na cabeça. Sabe, Charles, aqueles dois não são personagens simpáticos. Ela é uma mulher bonita, que se casou com um homem muito velho por seu dinheiro, e Brown é um neurótico com escrúpulos de consciência. O crime é tão familiar... tão de acordo com o padrão, que a gente não pode mesmo acreditar que eles não o tenham cometido. É claro, eles podem resolver que foi ele quem fez tudo e que ela não sabia de nada... ou, por outro lado, que foi ela quem fez tudo e que ele não sabia de nada... ou que talvez os dois tenham agido juntos.

— E o que você acha? — perguntei.

Ele me olhou com uma cara sem expressão.

— Eu não acho nada. Apresentei os fatos para o promotor público, e foi decidido que se devia instaurar um processo. Foi tudo. Cumpri meu dever e não tenho mais nada a ver com isso. Agora você já sabe, Charles.

Mas eu não sabia. Não sei por que razão, mas via que Taverner não estava satisfeito.

Foi somente uns três dias depois que me abri com meu pai. Ele próprio nunca comentara o caso comigo. Havia certa barreira entre nós — e eu pensava que sabia a razão. Mas precisava quebrar a barreira.

— Precisamos rever esse caso — eu disse. — Taverner não está convencido de que foram aqueles dois que fizeram isso... e o senhor também não está satisfeito.

Meu pai balançou a cabeça. Disse o mesmo que Taverner já me dissera:

— Não está mais em nossas mãos. O processo já foi instaurado. Quanto a isso, não há mais dúvida.

— Mas nem o senhor, nem Taverner acham que eles sejam os culpados, não é?

— Cabe ao júri decidir.

— Pelo amor de Deus — disse —, não me enrole com essa terminologia técnica. O que vocês dois pensam, pessoalmente?

— A minha opinião pessoal não é melhor do que a sua, Charles.

— É, sim. O senhor tem mais experiência.

— Então serei honesto com você. Eu simplesmente... não sei!

— Eles podem ser os culpados?

— Oh, sim.

— Mas o senhor não tem certeza de que sejam?

Meu pai deu de ombros.

— Como se pode ter certeza?

— Não se esquive às minhas perguntas, papai. O senhor teve certeza em outras vezes, não teve? Certeza absoluta? Nenhuma dúvida em sua mente?

— Algumas vezes, sim. Nem sempre.

— Eu pediria a Deus que tivesse certeza desta vez.

— Eu também.

Ficamos em silêncio. Eu estava pensando naquelas duas figuras flutuando pelo jardim na hora do crepúsculo. Sozinhos, perseguidos e amedrontados. Eles tiveram medo desde o início. Isso não mostraria uma consciência culpada?

Mas eu mesmo respondi: não necessariamente. Tanto Brenda quanto Laurence tinham medo da vida — não tinham confiança em si próprios, em suas habilidades para evitar o perigo e a derrota, e só viam — claramente demais — o modelo do amor ilícito que leva ao assassinato, que poderia envolvê-los a qualquer momento.

Meu pai falou, e sua voz era grave e gentil:

— Vamos, Charles — disse ele —, encaremos os fatos. Você ainda tem na cabeça que é um dos membros da família Leonides o verdadeiro culpado, não é?

— Não necessariamente. Apenas imagino...

— Você pensa assim. Pode estar errado, mas você pensa assim.

— Sim — eu disse.

— Por quê?

— Porque... — fiquei pensando sobre isso, tentando ver as coisas com clareza, pondo a cabeça para funcionar... — Porque... (sim, era isto!) porque eles mesmos pensam assim!

— Eles mesmos pensam? Isso é interessante. Isso é muito interessante. Você quer dizer que eles suspeitam uns dos outros, ou que talvez saibam mesmo quem foi que fez aquilo?

— Não tenho certeza — disse. — Tudo está muito enevoado e confuso. Eu penso... assim por alto... que eles estão tentando esconder a verdade de si próprios.

Meu pai fez que sim com a cabeça.

— Roger não — eu disse. — Roger acredita piamente que foi Brenda, e de todo o coração ele quer que ela seja enforcada. É... É um alívio estar perto de Roger porque ele é sincero e positivo, e não tem nada por detrás de seus pensamentos. Mas os outros são cheios de justificativas, cheios de dedos... pedem-me demais que eu garanta a Brenda a melhor defesa... que todas as vantagens possíveis lhe sejam dadas... por quê?

Meu pai respondeu:

— Porque eles não acreditam realmente, no fundo de seus corações, que ela seja a culpada... Sim, parece lógico.

Então ele falou calmamente:

— Quem poderia ter sido? Você falou com todos eles? Qual é o melhor palpite?

— Eu não sei — disse. — E isso está me deixando maluco. Nenhum deles preenche as "características de um assassino"; no entanto, eu sinto... eu sinto mesmo... que um deles é um assassino.

— Sophia?

— Não! Por Deus do céu! Não!

— A possibilidade está em sua mente, Charles... sim, está, não queira negar. E potencialmente mais ainda porque você não quer dar o braço a torcer. E sobre os outros? Philip?

— Somente pelo mais fantástico dos motivos.

— Motivos podem ser fantásticos... ou absurdamente insignificantes. Qual é o motivo dele?

— Ele tem um ciúme terrível de Roger... sempre teve, a vida inteira. A preferência de seu pai por Roger deixou Philip fora de si. Roger estava próximo à falência, e então o velho soube de tudo. Ele prometeu reerguer Roger novamente. Suponhamos que Philip tenha ouvido isso. Se o velho morresse naquela noite, não haveria ajuda para Roger. Roger seria derrotado de vez. Oh! Eu sei que é um absurdo...

— Oh, não, não é. É fora do normal, mas acontece. É humano. E Magda?

— Ela é muito infantil. Ela... ela não percebe a dimensão de nada. Mas eu não pensaria duas vezes que ela estivesse envolvida se não planejasse enviar Josephine com toda pressa para a Suíça. Eu não pude deixar de sentir que esteja com medo de alguma coisa que Josephine possa saber ou dizer...

— E foi então que Josephine levou a pancada na cabeça?

— Bem, mas não podia ter sido sua mãe!

— Por que não?

— Mas, papai, uma mãe não poderia...

— Charles, Charles, você nunca lê os noticiários policiais? Sempre e sempre a mãe toma uma antipatia por um de seus filhos. Somente um... ela pode ser dedicada aos outros. Há sempre uma associação, alguma razão, mas geralmente é difícil de se saber. Mas, quando existe, é uma aversão irracional e muito forte.

— Ela chamava Josephine de bruxinha — eu admiti a contragosto.

— E a menina se importava?

— Que eu saiba, não.

— Então quem mais podia ser? Roger?

— Roger não matou o pai. Eu tenho certeza disso.

— Então afastemos Roger. A mulher dele... como é mesmo o nome dela?... Clemency?

— Sim — eu disse. — Se ela matou o velho Leonides foi por uma razão muito estranha.

Contei a ele as minhas conversas com Clemency. Disse que podia ser possível que, em sua paixão por afastar Roger da Inglaterra, ela poderia ter deliberadamente envenenado o velho.

— Ela persuadiu Roger a ir embora sem falar nada a seu pai. Depois o velho descobriu tudo. Ele ia reconstituir a Associação de Fornecedores. Todas as esperanças e os planos de Clemency frustraram-se. E ela gosta desesperadamente de Roger... é quase uma idolatria.

— Você está repetindo o que Edith de Haviland disse!

— Sim. E Edith é outra em que penso. Ela pode ter feito isso. Mas não sei por quê. Eu só posso acreditar que, se ela tiver uma razão boa e suficiente, pode querer fazer justiça com as próprias mãos. Ela é desse tipo de pessoa.

— E ela também estava ansiosa para que Brenda tivesse uma defesa adequada?

— Sim. Creio que isso pode ser a sua consciência. Mas não penso, nem por um instante, que ela pretendesse que eles fossem acusados de seu crime, se fosse a culpada.

— Provavelmente não. Mas ela teria golpeado Josephine?

— Não — disse eu devagar. — Não creio. E isso me faz lembrar uma coisa que Josephine me disse e que não me sai da cabeça, mas que não consigo lembrar o que é. É um lapso em minha memória. Mas é alguma coisa que não se encaixa bem na história. Se ao menos eu pudesse me lembrar...

— Deixe pra lá. Vai lembrar-se depois. Mais alguma coisa ou mais alguém em sua cabeça?

— Sim — eu disse. — Mais uma coisa. O senhor sabe algo sobre os efeitos paralisia infantil sobre o caráter?

— Eustace?

— Sim. Quanto mais penso nele, mais me parece provável que ele se encaixe no papel. Ele não gostava e tinha ressentimentos contra o avô. É esquisito e rabugento. Não é normal. É o único da família que eu veria liquidando Josephine sem piedade se ela soubesse de alguma coisa sobre ele... e é bem provável que ela saiba. Aquela menina sabe de tudo. Ela escreve as coisas num livrinho...

Parei.

— Deus do céu! — exclamei. — Como fui bobo!

— O que houve?

— Eu sei agora o que havia de errado. Taverner e eu presumimos que a destruição no quarto de Josephine, a busca frenética, fosse por aquelas cartas. Pensei que ela tivesse passado a mão nelas e as tivesse escondido no pátio das cisternas. Mas, quando estava falando comigo no outro dia, ela me disse claramente que foi Laurence quem as escondera lá. Ela o viu saindo e foi bisbilhotar e achou as cartas. Então, é claro que as leu. Imagine se não ia ler! Mas ela as deixou onde estavam.

— Então?

— Não está vendo? Não poderiam ter sido as cartas que alguém estava procurando no quarto de Josephine. Só pode ter sido outra coisa.

— E essa outra coisa...

— Era o livrinho preto onde ela escreve suas "descobertas de detetive". Era isso que alguém estava procurando! Penso também que quem fez aquilo não o encontrou. Acho que Josephine ainda o tem. Mas se for assim...

Comecei a me levantar.

— Se for assim — disse meu pai —, ela ainda não está a salvo. Era o que você ia dizer?

— Sim. Ela não estará livre de perigo enquanto não for mesmo mandada para a Suíça. Estão planejando enviá-la para lá, o senhor sabe.

— Ela quer ir?

Considerei a ideia.

— Creio que não.

— Então provavelmente ela ainda não foi — disse meu pai secamente. — Mas acho que você tem razão quanto ao perigo. É melhor ir para lá.

— Eustace? — perguntei em desespero. — Clemency?

Meu pai disse gentilmente:

— Para mim os fatos apontam claramente numa única direção... Eu não sei como você ainda não percebeu. Eu...

Glover abriu a porta.

— Desculpe, sr. Charles, é o telefone. A srta. Leonides está ligando de Swinly. É urgente.

Parecia uma repetição horrível. Josephine se teria transformado em vítima outra vez? E será que desta vez o criminoso não falhara?

Corri para o telefone.

— Sophia? É Charles falando.

A voz de Sophia chegou com uma entonação de desespero.

— Charles, ainda não está tudo acabado. O criminoso ainda está aqui.

— O que você quer dizer? O que foi que aconteceu? Foi... Josephine?

— Não é Josephine. É a babá.

— A babá?

— Sim, foi uma xícara de chocolate... o chocolate de Josephine, que ela não bebeu. Ela deixou em cima da mesa. A babá achou que era uma pena desperdiçá-lo. Então, tomou-o.

— Pobre babá. Ela está muito mal?

A voz de Sophia sumiu.

— Oh, Charles, ela está morta.

Capítulo 24

Estávamos de volta ao pesadelo.

Foi no que pensei enquanto Taverner e eu saíamos de Londres. Era a repetição de nossa viagem anterior.

De vez em quando, Taverner soltava um palavrão.

Eu repetia de tempos em tempos, estupidamente, sem nenhum proveito:

— Então não eram Brenda e Laurence. Não eram Brenda e Laurence.

Será que alguma vez eu pensara que eram eles? Fiquei contente com essa lembrança. Contente por escapar de outra possibilidade, mais sinistra.

Eles tinham se apaixonado um pelo outro. Tinham trocado tolas cartas românticas. Tinham esperanças de que o marido velho de Brenda em breve morresse, calma e tranquilamente — mas eu imaginava se eles haviam mesmo desejado a sua morte. Eu tinha uma intuição de que os desesperos e desejos de um caso de amor infeliz lhes parecessem mais emocionantes que uma vida trivial quando estivessem casados e juntos. Eu não pensava que Brenda estivesse mesmo apaixonada. Ela era anêmica demais, apática demais. Era romance o que ela queria. E eu pensava que Laurence, também, era do tipo que aproveitaria melhor a sua frustração e uns vagos sonhos futuros de bem-aventurança do que as satisfações concretas da carne.

Eles tinham sido apanhados numa armadilha e, aterrorizados, não tiveram capacidade de encontrar uma saída. Laurence, por uma burrice incrível, não destruíra as cartas de Brenda. Brenda provavelmente destruíra as dele, uma vez que elas não tinham sido encontradas. E não tinha sido Laurence quem pendurara o calço de mármore na porta da lavanderia. Era alguém cujo rosto estava escondido atrás de uma máscara.

Chegamos à porta da frente. Taverner desceu, e o segui. Havia um policial à paisana no saguão, e que eu não conhecia. Ele cumprimentou Taverner, e este chamou-o para um lado.

Minha atenção foi atraída por uma pilha de bagagens na entrada. Estava já com as etiquetas e pronta para a saída. Enquanto olhava para elas, Clemency desceu as escadas e passou pela porta que estava aberta. Ela estava com o mesmo vestido vermelho, um casaco cinzento e usava um chapéu de feltro vermelho.

— Você chegou a tempo de nos dar adeus, Charles — disse ela.

— Vocês estão indo embora?

— Vamos para Londres hoje à noite. Nosso avião sai amanhã de manhã.

Ela estava calma e sorridente, mas percebi que seus olhos estavam vigilantes.

— Mas é claro que agora vocês não vão mais.

— Por que não? — Sua voz era dura.

— Com esta morte...

— A morte da babá não tem nada a ver conosco.

— Talvez não. Mas apesar de tudo...

— Por que você diz "talvez não"? Não tem nada a ver conosco. Roger e eu estávamos lá em cima, terminando de arrumar a bagagem. Não descemos nem uma vez enquanto o chocolate estava em cima da mesa da copa.

— Você pode provar isso?

— Eu posso responder por Roger. E Roger pode responder por mim.

— Nada mais que isso... Vocês são marido e mulher, lembre-se.

Ela encolerizou-se.

— Você é impossível, Charles! Roger e eu vamos embora viver a nossa própria vida. Por que diabos iríamos querer envenenar uma pobre velha simpática e boba que não nos podia causar nenhum mal?

— Talvez não tenha sido ela que vocês quisessem envenenar.

— Seria menos provável ainda que quiséssemos envenenar uma criança.

— Depende muito da criança, não é?

— O que você quer dizer?

— Josephine não é uma criança comum. Ela sabe de muitas coisas sobre as pessoas. Ela...

Eu me interrompi. Josephine surgira na porta que dava para a sala de visitas. Ela estava comendo a habitual maçã e, por cima do círculo rosado, seus olhos brilhavam com uma alegria macabra.

— A babá foi envenenada — disse ela. — Igualzinho ao vovô. É formidável, não é?

— E você não está triste por isso? — perguntei com seriedade. — Você gostava dela, não gostava?

— Não muito. Ela estava sempre ralhando comigo por um motivo ou outro. Criava casos.

— Você gosta de alguém, Josephine? — perguntou Clemency.

Josephine lançou seu olhar macabro para Clemency.

— Eu gosto de tia Edith — disse ela. — Eu gosto muito de tia Edith. E poderia gostar de Eustace, se ele não fosse sempre tão malvado comigo e estivesse interessado em descobrir quem fez isso.

— É melhor você parar de descobrir coisas, Josephine. Não é muito seguro.

— Eu não preciso descobrir mais nada — disse Josephine. — Eu sei.

Houve um momento de silêncio. Os olhos de Josephine, solenes e sem piscar, estavam fixos em Clemency. Um som feito um suspiro chegou até os meus ouvidos. Virei-me rapidamente. Edith de Haviland estava no meio da escadaria, mas não pensei que fosse ela quem havia suspirado. O ruído viera da porta por onde Josephine acabara de passar.

Corri até lá e empurrei-a. Não havia ninguém.

No entanto, eu estava seriamente preocupado. Alguém estivera de pé atrás daquela porta e ouvira as palavras de Josephine. Voltei e segurei Josephine pelo braço. Ela continuava comendo a maçã e olhando fixamente para Clemency. Por detrás do ar solene, havia, pensei, uma certa satisfação maligna.

— Venha, Josephine — eu disse. — Vamos ter uma conversinha.

Pensei que Josephine fosse protestar, mas eu não permitiria mais nenhuma tolice. Levei-a à força para a outra parte da casa. Havia uma pequena sala de jantar, que não era usada, onde podíamos estar razoavelmente seguros de não sermos perturbados. Levei-a para lá, tranquei a porta e a fiz sentar-se numa cadeira. Peguei outra cadeira e puxei-a para perto, ficando frente a frente com ela.

— Agora, Josephine — disse —, vamos pôr as cartas na mesa. O que você sabe exatamente?

— Um monte de coisas.

— Disso não tenho a menor dúvida. Essa sua cabecinha deve estar cheia até transbordar de informações verdadeiras e de informações despropositadas. Você sabe muito bem o que quero dizer. Não sabe?

— É claro que sei. Não sou burra.

Eu não sei dizer se isso foi para mim ou para a polícia, mas não dei atenção e continuei:

— Você sabe quem pôs alguma coisa em seu chocolate?

Josephine fez que sim com a cabeça.

— Você sabe quem envenenou o seu avô?

Josephine fez que sim outra vez.

— E quem lhe deu uma pancada na cabeça?

Mais uma vez Josephine fez que sim.

— Então você vai dizer-me o que sabe. Vai contar-me tudo... agora!

— Não posso.

— Você precisa contar. Cada informação que você tem ou que você descobriu precisa ser transmitida à polícia.

— Eu não vou dizer nada à polícia. Eles são burros. Pensavam que era Brenda... ou Laurence. Eu não fui assim tão burra. Eu sabia muito bem que não tinham sido eles, então fiz uma espécie de teste... e agora eu sei que estava certa.

Ela terminou num tom triunfante.

Eu pedi aos céus para ter paciência e recomecei:

— Olhe, Josephine, eu diria que você é extremamente esperta... — Josephine pareceu satisfeita. — Mas não lhe adiantará nada se não estiver viva para aproveitar esse fato. Não está vendo, sua bobinha, que enquanto guardar seus segredos dessa maneira idiota você estará em perigo iminente?

Josephine fez que sim, em aprovação.

— É claro que estou.

— Você já escapou por pouco duas vezes. Um dos atentados quase foi bem-sucedido. O outro custou a vida de outra pessoa. Não está vendo que, se continuar a se exibir pela casa, proclamando a quem quiser ouvir que sabe quem é o assassino, haverá outros atentados... e que ou você vai morrer, ou alguém mais morrerá?

— Em alguns livros vai morrendo um atrás do outro — Josephine informou com deleite. — Você termina descobrindo quem é o assassino porque ele ou ela é praticamente a única pessoa que resta.

— Esta não é uma história de detetives. Isto aqui é Três Oitões, Swinly Dean, e você é uma menininha boba que lê mais do que deve. Eu a farei falar nem que tenha de sacudi-la da cabeça aos pés.

— Eu sempre posso contar algo diferente da verdade.

— Você pode, mas não vai. O que você esperando, afinal de contas?

— Você não entende — disse Josephine. — Talvez eu não conte nunca. Sabe, talvez eu... goste da pessoa.

Fez uma pausa para me deixar digerir aquilo.

— E se contar — continuou ela —, eu o farei da maneira correta. Deixarei todos sentados à minha volta, recapitularei tudo... com as pistas, e então direi, assim de repente:

— Foi você!...

Ela esticou um dramático dedo acusador no instante em que Edith de Haviland entrava na sala.

— Ponha esse miolo de maçã na cesta de papéis, Josephine — disse Edith. — Você tem um lenço? Seus dedos estão melados. Vamos passear de carro.

Seus olhos encontraram os meus, e com ênfase ela disse:

— Ela estará melhor fora daqui durante as próximas horas.

Como Josephine queria rebelar-se, Edith acrescentou:

— Vamos a Longbridge e tomaremos um sorvete.

Os olhos de Josephine brilharam, e ela disse:

— Dois!

— Vamos ver — disse Edith. — Ande, vá pegar seu chapéu, o casaco e aquele lenço azul-escuro. Está frio lá fora. Charles, vá com ela buscar as coisas. Não a deixe sozinha. Eu tenho apenas de escrever umas duas notinhas.

Ela sentou-se à mesa, e segui Josephine para fora da sala. Mesmo sem o aviso de Edith, eu teria me colado a Josephine como uma sanguessuga.

Estava certo de que havia perigo para aquela criança ali por perto.

Quando acabei de vigiar Josephine se aprontar, Sophia entrou no quarto. Ela pareceu surpresa ao me ver.

— Ora, ora, Charles, você agora virou babá? Eu não sabia que estava aqui.

— Eu vou a Longbridge com tia Edith — disse Josephine com muita pompa. — Vamos tomar sorvetes.

— Brrr... num dia como este?

— Sorvetes são sempre gostosos — disse Josephine. — Quando a gente fica fria por dentro sente calor por fora.

Sophia franziu a testa. Parecia preocupada. Fiquei assustado com a palidez e as olheiras em seu rosto.

Voltamos à sala de jantar. Edith estava acabando de passar o mata-borrão em dois envelopes. Levantou-se depressa.

— Vamos embora agora — disse ela. — Eu disse a Evans para trazer o Ford.

Ela foi para o saguão. Nós a seguimos.

Meu olhar foi novamente atraído para as valises e suas etiquetas azuis. Por alguma razão elas me trouxeram uma vaga inquietude.

— O dia está agradável — disse Edith de Haviland, calçando as luvas e dando uma espiada para o céu. O Ford 10 estava à espera em frente da casa. — Frio, mas revigorante. Um verdadeiro dia de outono inglês. Como estão lindas as árvores com seus galhos nus contra o céu... apenas uma ou duas folhas douradas ainda penduradas...

Ela ficou em silêncio um ou dois minutos, depois voltou-se e beijou Sophia.

— Adeus, querida — disse ela. — Não se preocupe tanto. Precisamos enfrentar e suportar certas coisas.

Depois ela disse:

— Venha, Josephine — e entrou no carro.

Josephine subiu a seu lado.

Ambas deram adeus com a mão enquanto o carro se afastava.

— Acho que ela tem razão, é melhor manter Josephine afastada um certo tempo. Mas precisamos fazer essa menina contar o que sabe, Sophia.

— Provavelmente ela não sabe de nada. Josephine gosta de bancar a importante, você sabe.

— É mais importante do que isso. Eles já sabem qual é o veneno que havia no chocolate?

— Acham que é digitalina. Tia Edith toma digitalina para o coração. Ela tem um vidro cheio de pílulas no seu quarto. Agora, o vidro está vazio.

— Ela devia guardar essas coisas trancadas.

— Ela guardava. Mas acho que não devia ser difícil para alguém descobrir onde estava a chave.

— Alguém? Quem? Eu olhei outra vez para a pilha de malas. De repente, eu falei alto:

— Eles não podem ir embora. Não se pode permitir que eles saiam.

Sophia olhou-me surpresa.

— Roger e Clemency? Charles, você não está pensando...

— Bem, o que você está pensando?

Sophia estendeu as mãos num gesto de desalento.

— Eu não sei, Charles — sussurrou. — Eu só sei que estou de volta... de volta ao pesadelo...

— Eu sei. Foram essas as palavras que eu disse para mim mesmo quando vinha para cá com Taverner.

— Isso não passa de um pesadelo. Andando no meio de pessoas que você conhece, olhando em seus rostos... e de repente os rostos se transfiguram... e não é mais alguém que você conhece há tanto tempo... é um estranho... um estranho cruel...

Ela choramingou:

— Vamos lá para fora, Charles... vamos lá para fora. É mais seguro lá fora... Estou com medo de ficar nesta casa...

Capítulo 25

Ficamos no jardim por muito tempo. Por uma espécie de acordo mútuo, não discutimos o terror que se apossara de nós. Em vez disso, Sophia falava amorosamente da mulher que morrera, das coisas que ela fizera, das brincadeiras que brincavam com a babá quando eram crianças, das histórias que ela costumava contar sobre Roger e o pai e sobre os outros irmãos e irmãs.

— Eles eram todos seus filhos, sabe? Ela só nos veio ajudar durante a guerra quando Josephine era um bebê, e Eustace, um menininho engraçado.

Havia certo consolo para Sophia nessas lembranças, e a encorajei a falar.

Fiquei imaginando o que Taverner estaria fazendo. Perguntas às pessoas da casa, presumi. Um carro foi-se embora com o fotógrafo da polícia e dois outros homens e, depois, uma ambulância chegou.

Sophia estremeceu ligeiramente. Nesse instante a ambulância saiu, e soubemos que o corpo da babá fora levado para ser preparado para a autópsia.

Ficamos sentados quietos, andamos pelo jardim e conversamos — nossas palavras tornando-se mais e mais um disfarce para nossos próprios pensamentos.

Finalmente, com um arrepio, Sophia disse:

— Deve ser muito tarde... já está quase escuro. Temos de entrar. Tia Edith e Josephine ainda não voltaram... Não acha que elas já deviam estar de volta?

Senti um pressentimento vago. O que teria acontecido? Edith estaria mantendo a menina deliberadamente longe da Casa Torta?

Entramos. Sophia puxou as cortinas. O fogo estava aceso, e a grande sala de estar tinha um ar harmonioso e irreal do luxo dos tempos passados. Grandes vasos de crisântemos cor de bronze estavam sobre as mesas.

Sophia chamou uma empregada, e reconheci a que me levara o chá lá em cima uma vez. Ela estava com os olhos vermelhos e fungava continuamente. Notei também que parecia amedrontada e olhava assustada por cima do ombro.

Magda juntou-se a nós, mas o chá de Philip foi levado para a biblioteca. O papel que Magda desempenhava era a mais rígida imagem da tristeza. Ela quase não falava. Disse apenas uma vez:

— Onde estão Edith e Josephine? Elas estão fora há muito tempo.

Mas parecia preocupada.

Eu próprio estava começando a ficar preocupado. Perguntei se Taverner ainda estava na casa, e Magda respondeu que ela pensava que sim. Fui à sua procura. Disse-lhe que estava preocupado com Edith e a menina.

Ele foi imediatamente ao telefone e deu certas instruções.

— Eu lhe aviso quando souber de alguma coisa — disse ele.

Agradeci e voltei para a sala de visitas. Sophia estava lá com Eustace. Magda fora embora.

— Ele nos avisará se souber de alguma coisa — disse para Sophia.

Ela respondeu em voz baixa:

— Alguma coisa aconteceu, Charles, alguma coisa deve ter acontecido.

— Sophia, querida, ainda não é muito tarde.

— Por que vocês estão preocupados? — disse Eustace. — Provavelmente elas foram ao cinema.

Ele saiu da sala. Eu disse para Sophia:

— Talvez ela tenha levado Josephine para um hotel... ou para Londres. Acho que ela percebeu que a menina corre perigo... talvez ela tenha percebido isso melhor do que todos nós.

Sophia respondeu com um ar sombrio que eu não pude compreender.

— Ela me deu um beijo e disse adeus...

Não percebi o que ela quisera dizer com essa reflexão sem nexo, ou o que pretendia dizer. Perguntei se Magda estava preocupada.

— Mamãe? Não, ela não está ligando. Ela não tem nenhuma noção de tempo. Ela está lendo uma nova peça de Vavasour Jones chamada *A mulher dispõe*. É uma peça engraçada sobre um crime... uma Barba Azul de saias... um plágio de *Arsênico e alfazema*, se você me perguntar, mas tem um bom papel feminino, uma mulher que tem mania de ficar viúva.

Eu não falei mais nada. Ficamos sentados, fingindo que líamos.

Eram 18h30 quando Taverner abriu a porta. Seu rosto preparou-nos para o que ele ia dizer.

Sophia levantou-se.

— Sim? — disse ela.

— Eu sinto muito. Mas tenho más notícias para a senhora. Eu dei um alarme geral para procurar o carro. Um motorista informou que viu um carro Ford com um número parecido com o dele, saindo da estrada principal no campo de Flackspur e entrando no bosque.

— Não... é a estrada que vai para a pedreira de Flackspur?

— Sim, srta. Leonides. — Fez uma pausa e continuou: — O carro foi encontrado no fundo da pedreira. As duas ocupantes estavam mortas. Talvez interesse à senhora saber que elas tiveram morte instantânea.

— Josephine! — Era Magda que estava de pé na entrada. Sua voz subiu num uivo. — Josephine!... Meu bebezinho!...

Sophia foi para junto dela e apertou-a entre os braços. Eu disse:

— Esperem um minuto.

Eu me lembrava de algo! Edith de Haviland escrevera duas cartas na escrivaninha e fora para o saguão com elas na mão.

Mas elas não estavam em suas mãos quando ela saíra no carro!

Corri para o saguão e fui até a grande arca de carvalho. Encontrei as cartas — estavam discretamente colocadas debaixo de um samovar de bronze.

A de cima estava endereçada ao inspetor-chefe Taverner.

Taverner me seguira. Entreguei-lhe a carta, e ele a abriu. De pé a seu lado, eu li o seu breve conteúdo:

Espero que esta carta seja aberta depois de minha morte. Não quero entrar em detalhes, mas aceito plena responsabilidade pelas mortes de meu cunhado Aristide Leonides e de Janet Rowe (a babá). Eu declaro aqui, solenemente, que Brenda Leonides e Laurence Brown são inocentes do crime contra Aristide Leonides. Se pedirem informações ao dr. Michael Chavasse, na rua Harley, 783, ele confirmará que minha vida só poderá ser prolongada por uns poucos meses. Prefiro escolher esta saída e livrar a dois inocentes de serem acusados por um crime que não cometeram. Estou em pleno gozo de minhas faculdades mentais e inteiramente consciente do que estou escrevendo.

Edith Elfrida de Haviland

Quando terminei de ler a carta, percebi que Sophia também a lera — não sei se com o consentimento de Taverner, ou não.

— Tia Edith... — murmurou Sophia.

Eu me lembrei da crueldade de Edith de Haviland esmagando a jitirana com o pé. Lembrei-me de minhas primeiras suspeitas, quase imaginárias, sobre ela. Mas por que...

Sophia adivinhou meu pensamento.

— Por que Josephine? Por que ela levou Josephine?

— Por que ela fez isso? — perguntei. — Qual foi o motivo?

Mas, enquanto falava, percebi a verdade. Vi tudo claramente. Vi que ainda estava com a segunda carta na mão. Olhei-a: era meu próprio nome no envelope.

Era mais grossa e pesada que a outra. Acho que adivinhei o que havia dentro antes de abri-la. Rasguei o envelope, e o caderninho preto de Josephine caiu. Peguei-o do chão — ele se abriu em minhas mãos, e vi o que estava escrito na primeira página...

Parecendo vir de muito longe, ouvi a voz de Sophia, clara e controlada.

— Nós entendemos tudo errado — disse ela. — Não foi Edith.
— Não — eu disse.
Sophia aproximou-se mais de mim e murmurou:
— Foi... Josephine... não foi? Era isso, Josephine.
— Juntos olhamos para a primeira anotação do livrinho preto, escrito numa caligrafia malfeita e infantil.

Hoje eu matei vovô.

Capítulo 26

Fiquei imaginando depois como pude ser tão cego. A verdade era tão clara o tempo todo... Josephine, e somente Josephine, se encaixava em todos os requisitos necessários. Sua vaidade, sua importância persistente, seu prazer em falar, sua reafirmação de como ela era esperta e de como a polícia era burra.

Eu nunca pensara nela porque era uma criança. Mas crianças também cometem crimes, e este crime particular estivera sempre ao alcance de uma criança. Seu avô mesmo indicara o método preciso — ele praticamente dera a receita. Tudo o que ela tinha a fazer era evitar deixar impressões digitais e um leve conhecimento de aventuras de detetives que a ensinariam como agir. E tudo o mais fora uma simples miscelânea, escolhida ao acaso entre uma porção de histórias de mistérios. O livrinho de notas... as investigações... suas pretensas suspeitas... sua insistência em dizer que ela não contaria a ninguém até ter certeza...

E, finalmente, o ataque a si mesma. Um papel quase incrível, considerando-se que ela podia facilmente ter se matado. Mas aí, muito infantil, ela nunca considerara uma tal possibilidade. Ela era a heroína. A heroína nunca morre. No entanto, ali tivéramos uma pista — as manchas de terra no assento da cadeira velha na lavanderia. Josephine era a única pessoa que precisaria subir numa cadeira para equilibrar o bloco de mármore em cima da porta. Obviamente ela não se acertara da primeira vez (as marcas no chão) e pacientemente ela subira outra vez e o recolocara no lugar, segurando-o com o cachecol para não deixar impressões digitais. E quando ele caíra — ela escapara da morte por um fio.

Fora uma cena perfeita — a impressão que ela estava ansiosa por causar! Ela estava em perigo, ela sabia "alguma coisa", ela fora atacada!

Eu via agora como ela chamara deliberadamente a minha atenção para a sua presença no pátio das cisternas. E ela completara a artística desordem em seu quarto antes de ir para a lavanderia.

Mas, quando voltara do hospital, quando descobrira que Brenda e Laurence tinham sido presos, ela deve ter ficado aborrecida. O caso estava terminado — e ela, Josephine — estava longe dos holofotes.

Então ela roubou a digitalina do quarto de Edith e a pôs na sua própria xícara de chocolate, deixando-a intacta em cima da mesa.

Será que ela sabia que a babá iria beber? Possivelmente. Pelas suas palavras naquela manhã, ela se ressentira das críticas da babá a seu respeito. Será que a babá, talvez devido a uma vida inteira com crianças, suspeitara dela? Creio que ela sabia, e soubera sempre, que Josephine não era normal. Com seu precoce desenvolvimento mental aparecera um retardamento de seu senso moral. Talvez, também, os fatores de hereditariedade diversos — que Sophia chamara de "crueldade da família" — se tivessem reunido.

Ela herdara a crueldade autoritária da família de sua avó, o cruel egoísmo de Magda, que só entendia o seu próprio ponto de vista. Provavelmente ela também sofrera, sensível como Philip, com o estigma de ser a feia, a bruxinha da família. Finalmente, em sua própria medula, corria a deformação essencial do velho Leonides. Ela fora uma neta de Leonides, parecia-se com ele na sua inteligência e argúcia — mas, quanto ao amor, ele o dera para sua família e seus amigos, e ela o conservara para si mesma.

Pensei que o velho Leonides percebera o que ninguém da família havia visto: que Josephine poderia ser uma fonte de perigo para os outros e para si própria. Ele a resguardara da vida escolar porque tinha medo do que ela pudesse fazer. Ele a protegera, guardara-a em casa, e compreendi a urgência com que pedira a Sophia que olhasse por Josephine. A súbita decisão de Magda em mandá-la para o exterior — teria sido também por medo da criança? Não por um medo consciente, mas por algum vago instinto materno?

E Edith de Haviland? Será que ela suspeitara no início, receara depois... e finalmente descobrira?

Olhei para a carta em minhas mãos.

Caro Charles. Isto é em confidência para você — e para Sophia se você assim o decidir. É imperativo que alguém saiba a verdade. Encontrei o caderno anexo no canil abandonado atrás da porta de serviço. Ela o guardava lá. Veio a confirmar o que eu já suspeitava. O ato que vou empreender pode ser errado ou certo. Eu não sei. Mas minha vida, de qualquer forma, já está perto do fim, e não quero que esta criança sofra, como acredito que sofrerá se for chamada a prestar contas pelo que fez.

Há sempre alguém da ninhada que não é "muito certo".

Se eu estiver errada, que Deus me perdoe — mas eu o faço por amor. Deus abençoe vocês dois.

Edith de Haviland

Hesitei por um segundo, depois entreguei a carta a Sophia. Juntos, abrimos novamente o pequeno livro preto de Josephine.

Hoje eu matei vovô.

Viramos as páginas. Era uma composição espantosa. Interessante, imaginei, para um psicólogo. Exibia, com terrível lucidez, a fúria de um egoísmo frustrado. O motivo do crime estava escrito ali, lamentavelmente infantil e desproporcionado.

Vovô não me quer deixar estudar balé, então resolvi que vou matá--lo. Então nós iremos para Londres, e mamãe não vai importar-se que eu faça balé.

Só li algumas passagens. Todas eram significativas.

Eu não quero ir para a Suíça. Eu não vou. Se mamãe me obrigar a ir, eu mato ela também. Só que agora não vou mais conseguir veneno. Talvez eu possa fazer isso com frutinhas do jardim. Elas são venenosas, o livro diz.

Eustace me chateou muito outro dia. Ele disse que eu sou só uma menina e que é uma tolice o meu trabalho de detetive. Ele não acharia que sou boba se soubesse que fui eu que cometi o crime.

Eu gosto de Charles, mas ele é meio burro. Ainda não resolvi quem é que vou fazer ser o culpado do crime. Talvez Brenda e Laurence. Brenda às vezes é malvada comigo. Ela diz que não regulo bem. Mas eu gosto de Laurence. Ele me contou a história de Charlot Korday. Ela matou alguém dentro da banheira. Ela não foi muito esperta.

A última anotação era reveladora:

Eu odeio a babá... Eu odeio ela... Eu odeio ela... Ela diz que sou apenas uma menininha. Ela diz que gosto de me mostrar. É ela que está fazendo mamãe me mandar lá para longe... Eu vou matar ela também — eu acho que o remédio de tia Edith serve. Se houver outro assassinato, então a polícia vai voltar, e tudo vai ficar bem de novo.

A babá morreu. Estou contente. Ainda não resolvi onde vou esconder o vidro com as pilulinhas. Talvez no quarto de tia Clemency — ou então no de Eustace. Quando eu morrer, muito velha, vou deixar este caderno endereçado para o chefe de polícia, e eles vão ver como eu fui realmente uma grande criminosa.

Fechei o livro. As lágrimas de Sophia corriam copiosas.

— Oh, Charles... Oh, Charles... é tão pavoroso. Ela é um verdadeiro monstrinho... e, no entanto... no entanto, ela é tão horrivelmente comovente...

Eu sentia o mesmo.

Gostava de Josephine... Ainda agora sentia carinho por ela... Você não deixa de gostar de alguém só porque ele está tuberculoso ou com alguma outra doença fatal. Josephine, como dissera Sophia, era um monstrinho, mas era um monstrinho comovente. Ela nascera com um estigma — era a criança torta da pequena Casa Torta.

Sophia perguntou:

— Se... ela estivesse viva... o que teria acontecido?

— Suponho que teria sido enviada para um reformatório ou para uma escola especial. Mais tarde seria libertada... ou provavelmente receberia uma declaração legal de insanidade, eu não sei.

Sophia estremeceu.

— Foi melhor assim. Mas tia Edith... eu não queria que tia Edith levasse a culpa.

— Foi ela que escolheu assim. Eu não creio que se torne público. Imagino que, quando Brenda e Laurence forem responder ao processo, não haverá acusação contra eles, e então serão absolvidos.

— E você, Sophia — eu disse, desta vez num tom diferente e tomando as suas mãos entre as minhas —, vai casar-se comigo. Acabei de saber que fui designado para servir na Pérsia. Iremos juntos para lá, e você vai se esquecer da pequena Casa Torta. Sua mãe vai continuar a representar suas peças, e seu pai vai comprar mais livros, e Eustace estará indo para a universidade. Não se preocupe mais com eles. Pense em mim.

Sophia olhou-me firmemente nos olhos.

— Você não tem medo, Charles, de se casar comigo?

— E por que teria? Todos os males da família estavam concentrados na pobre Josephine. Em você, Sophia, acredito piamente que está o que de mais valente e corajoso existia na família Leonides. Seu avô a tinha na mais alta consideração, e parece que ele era um homem que sempre tinha razão. Levante a cabeça, querida. O futuro é nosso.

— Eu me casarei com você, Charles. Eu o amo e eu me casarei com você e o farei feliz.

Baixou os olhos para o livrinho de notas.

— Pobre Josephine...

— Pobre Josephine... — repeti.

— Qual é a verdade, Charles? — perguntou meu pai.

Eu nunca mentira para meu velho.

— Não foi Edith de Haviland — eu disse. — Foi Josephine.

Meu pai acenou gentilmente com a cabeça.

— Sim — disse ele. — Eu já pensava assim havia algum tempo. Pobre criança...

Surpreso com o desfecho desse mistério?

Não deixe de conferir outros desafios que
a Rainha do Crime preparou para seus detetives:

A casa do penhasco
A extravagância do morto
A maldição do espelho
A mansão Hollow
Assassinato na casa do pastor
Assassinato no Expresso do Oriente
Caio o Pano
Cem gramas de centeio
Convite para um homicídio
Hora zero
M ou N?
Morte na Mesopotâmia
Morte no Nilo
Nêmesis
O Natal de Poirot
O mistério dos sete relógios
Os crimes ABC
Os elefantes não esquecem
Os trabalhos de Hércules
Poirot perde uma cliente
Treze à mesa
Um corpo na biblioteca
Um pressentimento funesto